ILBRVNNA

NICER FLV

HEILBRONN

Meiner lieben Jodi
Friggatante
anläßlich Ihres Besuchs in
Deutschland 1993

von Hedwig u. Hildegard

HEILBRONN

Fotografie:
Johannes Braus
Werner Richner
Kurt Taube

Text:
Wilfried Hartmann
Werner Kieser

Edition Braus · Heidelberg

Bildnachweis:
Johannes Braus: S. 25 Abb. oben, Abb. rechts, 30, 31, 46, 71 unten, 97 bis 128
Werner Richner: S. 137, 140 bis 143, 145 bis 160
Kurt Taube: Abb. Schutzumschlag, Titel und Rücktitel; S. 9 bis 18, 20 bis 25 Abb. Mitte, unten, 26 bis 28 Mitte, unten, 32 bis 45, 47 bis 50, 52 bis 65, 68 bis 76, 78 bis 80.
Mathäus Jehle: S. 28 oben, 29, 51, 67 unten links.
Roland Schweizer: S. 19, 77
Verkehrsamt Heilbronn:
Abb. Vorsatz; S. 45 Abb. rechts, 51 Abb. unten, 66 bis 69 Abb. rechts oben, unten, 81–86, 138, 139.

Redaktion: Margit Adamek
Koordination: Yvonne Hupe
Übersetzung ins Englische:
Dr. Philip Mattson
Übersetzung ins Französische:
Marie-Hélène Mermet

Grafische Gestaltung: ggmbh, Heidelberg
Herstellung: Brausdruck GmbH, Heidelberg
ISBN 3-925835-88-1

Inhalt

Chronik

ca. 30 000 v. Chr.
Frühester Nachweis menschlicher Siedlung in Heilbronn

seit ca. 4500 v. Chr.
Bauernkultur der Jungsteinzeit mit kontinuierlicher Besiedlung des Heilbronner Beckens.

3500–2500 v. Chr.
Siedlungen der »Großgartacher« und »Rössener Kultur« im Stadtgebiet.

1800–700 v. Chr.
Bronze- und Urnenfelder-Zeit: Grabhügel auf dem Schweinsberg und den Neckarterrassen (Böckingen). Bedeutende Funde in Horkheim (bronzene Schmuckstücke) und Neckargartach (größter Sammelfund von Gußformen in Mitteleuropa).

700 – Zeitwende
Siedeln im Raum Heilbronn. Frühe Salzgewinnung aus Sole. Erstaunliche Siedlungsdichte und schwunghafter Handel mit Roheisenbarren.

um 85/90 n. Chr.
Römer-Kastell bei Heilbronn-Böckingen. Anlage zahlreicher römischer Villen und Gutshöfe im Heilbronner Raum.

6./7. Jahrh. n. Chr.
Alemannisch-fränkische Siedlungen der späteren Stadt Heilbronn

741
Erste Erwähnung Heilbronns als »villa Helibrunna« in einer Schenkungsurkunde des fränkischen Majordomus Karlmann an das neugegründete Bistum Würzburg. Namengebend für die Stadt war eine Quelle nahe bei der Michaelis-Basilika, Vorläuferin der Kilianskirche.

Mitte 11. Jahrh.
Die älteste nachweisbare Ansiedlung von Juden in schwäbischen Reichsstädten.

1146
Erwähnung von Markt- und Münzgerechtigkeit, einer Schiffsanlände mit Kaufmannssiedlung (»portus«) sowie von Weinbergen am Nordberg (Wartberg) in einer Schenkungsurkunde der Uta von Calw an Kloster Hirsau.

ca. 1220/30
Durch eine Schenkung der Herren von Dürn erhält der Deutsche Ritterorden im Süden der Stadt fast zwei Hektar Gelände zur Errichtung einer bedeutenden Kommende.

1225
Heilbronn erstmals urkundlich als »oppidum Heilecbrunnen« bezeichnet, d. h. als eine mit Mauern und Gräben umgebene, befestigte Stadt. Zu derselben Zeit wird es auch »civitas« genannt, d. h. es ist ein mit Verfassung und Stadtrecht begabtes Gemeinwesen.

1281
König Rudolf I. verleiht Heilbronn ein neues (erstes bekanntes) Stadtrecht.

1333
Kaiser Ludwig der Bayer verleiht der Stadt das Recht, den Neckar nach Belieben zu »wenden und kehren«, worauf die Heilbronner den Fluß an ihre Stadt heranführen.

1371
Neue, ausgeprägt reichsstädtische Verfassung Kaiser Karl IV.

1498
Hochaltar von Hans Seyfer, ein Spitzenwerk der spätgotischen Plastik und Altarkunst, mit Chor der Kilianskirche vollendet.

1519
Götz von Berlichingen kommt für 3 Jahre als Gefangener des Schwäbischen Bundes in ritterliche Haft. Er wird wegen verweigerter Urfehde für eine Nacht in den (Bollwerks-) Turm gelegt.

1525
Im Bauernkrieg öffnet die Stadt Heilbronn den Aufständischen ihre Tore. Die Bauern plündern u. a. das Deutsche Haus. Bauernkonvent mit Wendel Hipler im Schöntaler Hof. Jäklein Rorbach aus Böckingen, der Rädelsführer der Unterländer Bauern, wird bei Neckargartach durch Truchseß Georg von Waldburg (»Bauernjörg«) zu Tode geröstet.

1528
Der dem neuen Glauben zugetane Hans Riesser wird vom Rat zum Bürgermeister gewählt. Damit ist der Reformation in der Stadt der Weg geebnet (Wegbereiter: Johann Lachmann). »Heilbronner Katechismus«

(zweitältester in Deutschland), von Lachmann begonnen, von dem lateinischen Schulmeister Kaspar Gretter vollendet.

1529
Vollendung des Kiliansturmes (seit 1507/13 im Bau) von Hans Schweiner durch Aufstellen des »Männle«. Er ist das erste bedeutende Bauwerk der Renaissance nördlich der Alpen.

1579–1600
Umbau des gotischen Rathauses durch Hans Kurz im Renaissancestil. Prachtvolle Kunstuhr von Isaak Habrecht (1579/80).

1618–1648
Stadt und reichsstädtische Dörfer erleiden durch den Dreißigjährigen Krieg schwere materielle Schäden. Heilbronn ist 1631–1634 von den Schweden besetzt, 1634–1647 von den Kaiserlichen und 1647–1648 von den Franzosen. Viele Plünderungen und Brandschatzungen.

1633
»Heilbronner Konvent« unter Vorsitz des schwedischen Kanzlers Axel Oxenstierna im »Deutschen Haus«. Bündnisse der protestantischen süddeutschen Reichsstände sowie Frankreichs mit Schweden.

1744
Erste Heilbronner Zeitung erscheint.

1802/03
Ende der Reichsstadtzeit; Heilbronn kommt zu Württemberg; die vier reichsstädtischen Dörfer Böckingen, Flein, Frankenbach und Neckargartach werden selbständig. – Württembergische Truppen rücken am 9. September 1802 in Heilbronn ein. Durch den Reichsdeputationshauptschluß vom 25. Februar 1803 wird Heilbronn de jure Württemberg zugeteilt.

1810
Heinrich von Kleists Ritterschauspiel »Käthchen von Heilbronn« erlebt in Wien seine Uraufführung. Als Vorbild der Titelgestalt gilt lange Zeit die Heilbronner Bürgermeisterstochter Elisabeth Kornacher.

1814
Der Arzt Julius Robert Mayer, Entdecker des Gesetzes von der Erhaltung der Energie (1. Veröffentlichung 1842), geboren. (Gestorben 1878 in Heilbronn).

1815
Großes Hauptquartier gegen Napoleon auf der Theresienwiese mit einer Parade von 10 000 Mann. Anwesend sind neben Kaiser Franz von Österreich 126 deutsche Fürsten und Generäle. Im Rauch'schen Haus empfängt Zar Alexander von Rußland die baltische Baronin Juliane von Krüdener, die ihn zur Gründung der »Heiligen Allianz« bewegt.

ab ca. 1820
Frühe, rasche Industrialisierung der Stadt, ausgehend von den Mühlenwerken auf dem Hefenweiler.

1846
Wilhelm Maybach, namhafter Motorenkonstrukteur (»König der Konstrukteure«), geboren. (Gestorben 1929 in Stuttgart-Bad Cannstatt.)

1848
Revolutionäre Unruhen in der Stadt. Entstehung der ersten politischen Parteien. Eröffnung der Eisenbahnlinie nach Stuttgart, die später als württembergische Hauptlinie über Ulm zum Bodensee geführt wird.

1885
Beginn der Salzförderung im Salzwerk Heilbronn.

1891
Erste Kraftstromübertragung durch Oskar von Miller vom Heilbronner Elektrizitätswerk Lauffen nach Frankfurt am Main. Im Jahre 1892 wird Heilbronn als erste Stadt der Welt vom Werk Lauffen durch Fernleitung mit elektrischer Energie versorgt.

1896
Heilbronn ist mit 58 Fabriken und rund 9 000 Arbeitern die größte Industriestadt Württembergs.

1905
Doktorarbeit von Theodor Heuss über »Weinbau und Weingärtnerstand in Heilbronn«.

1933
Eingemeindung von Böckingen (1. Juni).

1935
Eröffnung des Kanalhafens Heilbronn und der Großschiffahrtsstraße Heilbronn–Mannheim. Der Hafen Heilbronn entwickelt sich danach zum bedeutendsten Umschlagplatz am Neckar und fünftgrößten deutschen Binnenhafen.

1936
Autobahn Heilbronn–Stuttgart fertiggestellt. Es folgen Heilbronn–Mannheim 1968, Heilbronn–Würzburg 1974, Heilbronn–Nürnberg 1979.

1938
Zerstörung der Heilbronner Synagoge an der Allee in der Kristallnacht (10. November). – Eingemeindung von Neckargartach und Sontheim (1. Oktober).

1944
Am 4. Dezember vernichtet ein englischer Luftangriff über 80 Prozent der Stadt, den Stadtkern völlig. Rund 7 000 Tote, darunter ca. 1 000 Kinder unter 10 Jahren.

1945
US-Truppen besetzen nach 10tägigem Kampf (vom 2.–12. April) die Stadt. Professor Emil Beutinger als Oberbürgermeister eingesetzt.

1953
Festakt anläßlich des Wiederaufbaues des Heilbronner Rathauses (6./7. Juni). Bundespräsident Theodor Heuss und Innenminister Fritz Ulrich werden zu Ehrenbürgern der Stadt ernannt.

1958
Am 29. November Einweihung der neuen Festhalle »Harmonie« an der Allee.

1965
Aufnahme der Städtepartnerschaft mit der französischen Weinbaustadt Béziers. – Später folgen die Partnerschaften mit den Städten Port Talbot/Afan (Großbritannien) im Jahre 1966, Solothurn (Schweiz) 1981, Stockport (Großbritannien) 1982 und Frankfurt/Oder (DDR) 1988.

1966
Städtepartnerschaft mit Port Talbot/Afan (Großbritannien).

1967
Oberbürgermeister Paul Meyle scheidet nach annähernd 20jähriger Amtszeit am 7. September aus dem Amt und wird vom Gemeinderat zum Ehrenbürger der Stadt ernannt. Amtseinsetzung von Oberbürgermeister Dr. Hans Hoffmann.

1970
Mit der Eingemeindung von Klingenberg am 1. Januar 1970 wird Heilbronn Großstadt (101 390 Einwohner). Weitere Eingliederungen folgen: Kirchhausen (1. Januar 1974), Frankenbach (1. April 1974) und Horkheim (1. April 1974). Am 1. April 1974 zählt Heilbronn 117 366 Einwohner, darunter über 14 000 Ausländer.

1973
Die Region Franken wird gebildet. Zu ihr gehören neben dem Stadtkreis Heilbronn die Landkreise Heilbronn, Hohenlohekreis, Schwäbisch Hall und Main-Tauber-Kreis (insgesamt über 700 000 Einwohner). Das Oberzentrum Heilbronn wird Sitz des Regionalverbandes. Der Wiederaufbau der Stadt Heilbronn gilt im wesentlichen als abgeschlossen.

1981
Städtepartnerschaft mit Solothurn (Schweiz).

1982
Festliche Einweihung des neuen Stadttheaters am Berliner Platz (16. November).

1982
Städtepartnerschaft mit Stockport (Großbritannien).

1983
Am 30. Juni Übernahme des gesamten Deutschhofes vom Land Baden-Württemberg – Ausbau zum städtischen Kulturzentrum.

1983
Oberbürgermeister Dr. Hans Hoffmann tritt am 31. Oktober nach über 16jährigem Wirken in den Ruhestand. – Am 2. November Amtsantritt von Oberbürgermeister Dr. Manfred Weinmann.

1985
Landesgartenschau mit über 1 Million Besucher.

1988
Städtepartnerschaft mit Frankfurt/Oder.

1989
Einweihung der Neckartalstraße (größtes Tiefbauprojekt der Stadt) und des ersten Bauabschnittes des Städtischen Krankenhauses »Am Gesundbrunnen« (größtes Hochbauprojekt).

1990
Die auf der Heilbronner Waldheide stationierten amerikanischen Pershing-Raketen werden abgezogen.

1991
Heilbronn feiert seinen 1250. Namenstag seit der ersten Nennung im Jahre 741.

Ein breiter Gürtel von
Weinbergen und Wäldern
umgibt die Stadt

*A broad belt of vineyards
and forests surrounds the city*

*La ville est bordée d'une large
ceinture de vignobles et de forêts*

Der Wartberg – »Hausberg« der Stadt

The Wartberg, the city's landmark hill

Le mont Wartberg fait partie des signes distinctifs de la ville

Der Stiftsberg – eine der guten Lagen

The "Stift" Hill, one of the most pleasant spots

Les côteaux du Stiftsberg – une des bonnes expositions

RHENUS

Der Heilbronner Hafen –
ein bedeutender Wirtschaftsfaktor

*Heilbronn's harbour,
an important business factor*

*Le port de Heilbronn –
un facteur économique essentiel*

Bummeln, kaufen, schauen

Strolling, shopping, looking

Flânerie, achats, shopping

JUWELIER
Apollo
optik
BEILHARZ
Teppichhaus

Sonderpreis!
Naturreiner, kaltgeschleudert
Wald
Honig
27.50
FÖRCH'S BESENBROT
BÄCKEREI
R. FÖRCH

Markttag vor dem Rathaus

Market day in front of Guildhall

Jour de marché devant l'hôtel de ville

Im Blickpunkt: Die astronomische Rathausuhr aus der Renaissance

The Renaissance astronomical clock on Guildhall

Point de mire: l'horloge astronomique de l'hôtel de ville, datant de la Renaissance

Nach dem Krieg wiederaufgebaut: Das Heilbronner Rathaus

Heilbronn's Guildhall was rebuilt after the War

L'hôtel de ville de Heilbronn a été reconstruit après la guerre

Urbanes Leben – lebendiges Heilbronn

Urban life in thriving Heilbronn

Vie urbaine – Heilbronn, ville active

Ehemaliges Stadtarchiv

Former civic archives

Les anciennes archives

Rund um das Rathaus –
Erinnerungen an vergangene
Stilepochen: Haus Zehender

Around Guildhall –
Reminders of past epochs:
The Zehender House

Tout autour de l'hôtel de ville –
souvenirs d'époques anciennes:
La maison Zehender

Grüne Oasen: Pfühlpark,
Jüdischer Friedhof
im »Breitenloch«,
Alter Friedhof

*Grenn oases: the "Pfühlpark",
the Jewish Cemetery,
the Old Cemetery*

*Oasis de verdure: le Pfühlpark,
le Cimetière Juif,
le Vieux Cimetière*

Der berühmteste Sohn der Stadt –
Robert Mayer, Arzt und
Naturwissenschaftler hat heute
seinen Platz wieder vor dem Rathaus

*A famous son of the city –
Robert Mayer, physician and
scientist. The statue is how in its
old location in front of Guildhall*

*Un fils renommé de la ville –
Robert Mayer, médecin et
scientifique a retrouvé sa place
devant l'hôtel de ville*

Bell'Italy
VINOTHEK
TREFF
mindl
La Mer
Böhringer
SÜSSWAREN

Im Käthchenhof:
Betriebsame Geschäftigkeit
mit pfiffigem Ambiente

In the "Käthchenhof": bustling activity in clever surroundings

Sur la place «Käthchenhof»: activités commerçantes dans un cadre original

Der Turm der Kilianskirche:
Ein Novellenkranz aus Stein –
kühn, stolz und trutzig

*The tower of St. Kilian's,
a stone storyteller,
bold, proud, and defiant*

*La tour de la Killianskirche:
une couronne de légendes en
pierre, vaillante, fière et robuste*

Im Blickpunkt: Der Erker am
legendären Käthchenhaus

*The bay window of the legendary
Käthchen House*

*Vue sur la fenêtre en encorbelle-
ment de la légendaire maison
de Käthchen*

Die Kilianskirche: Der eigenwillige Turm und das bärbeißige »Männle« sind Wahrzeichen der Stadt

St. Kilian's: the unique tower and the gruff "Männle" are landmarks of the city

L'église Kilianskirche: la tour originale et son lansquenet à l'aspect peu aimable «Männle» sont les emblèmes de la ville

Kleinod aus der Spätgotik:
Der Hochaltar von Hans Seyfer

*A gem of the Late Gothic style:
the high altar by Hans Seyfer*

*Chef-d'œuvre de sculpture
du gothique flamboyant:
le grand autel de Hans Seyfer*

Farbspiele in der Kilianskirche

The play of colours in St. Kilian's Church

Jeux de lumières dans la Kilianskirche

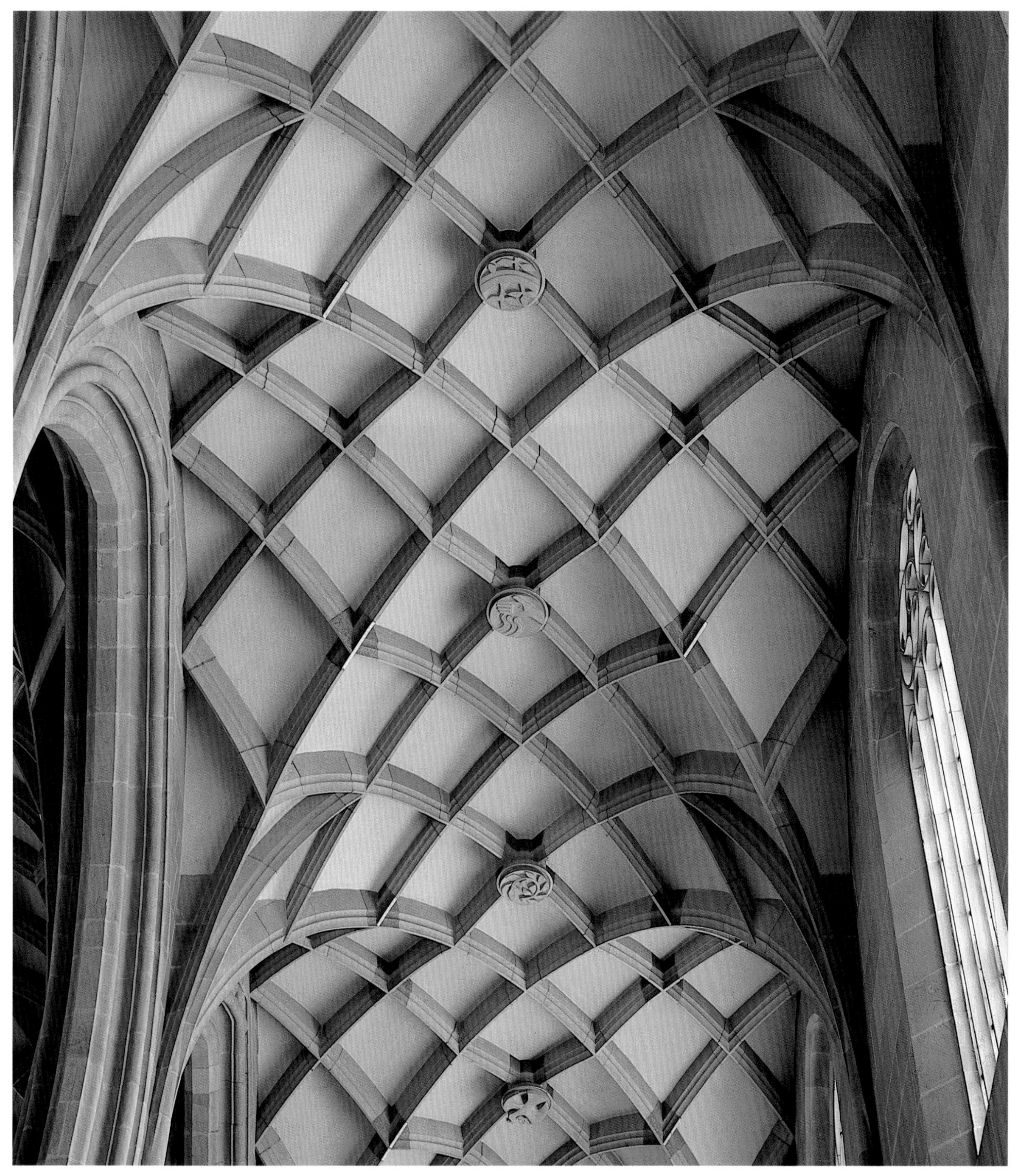

Rund um die Kilianskirche:
Zeugen der Vergangenheit

Near St. Kilian's:
witnesses of the past

Tout autour de la Kilianskirche:
les témoins du passé

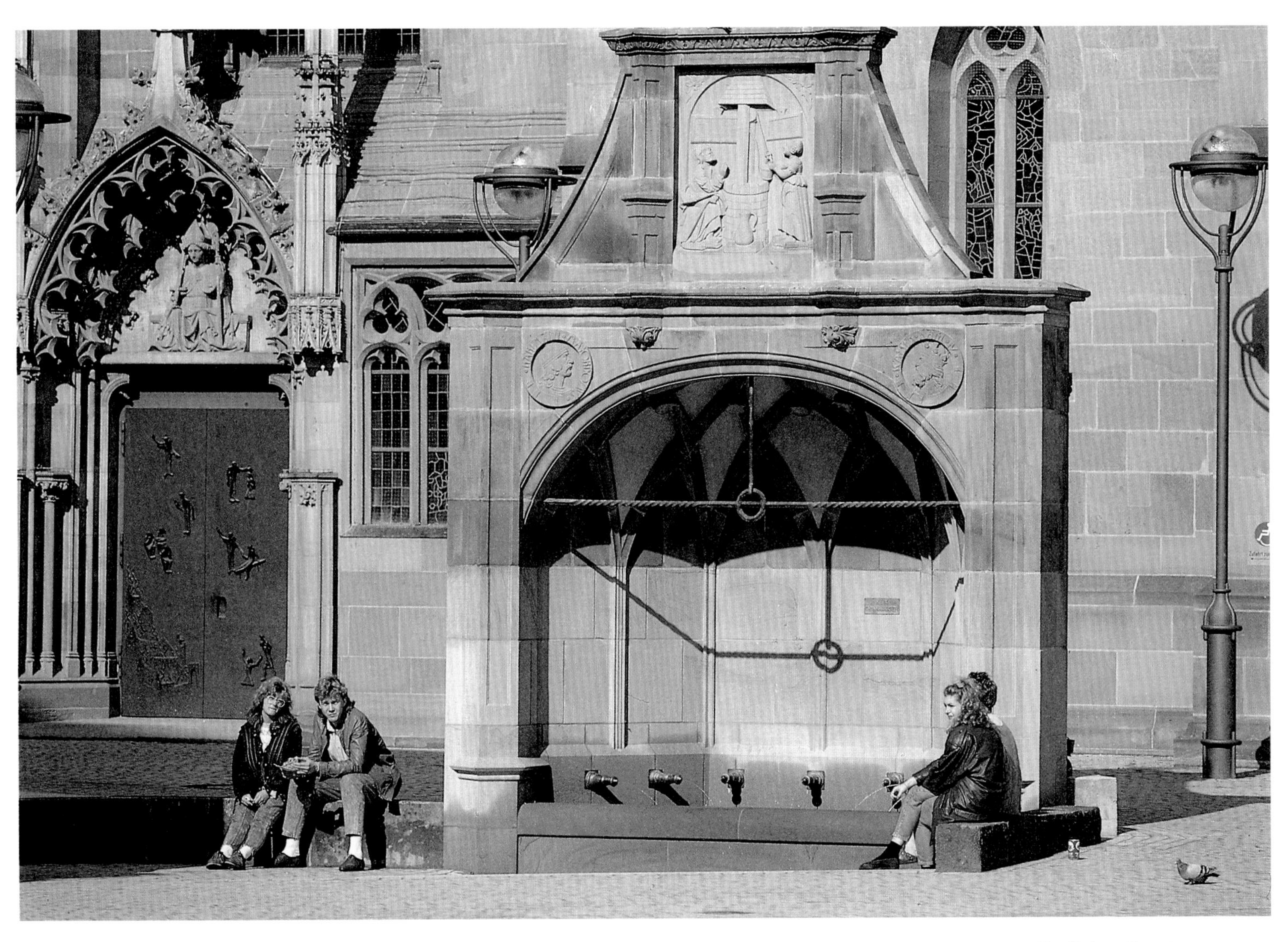

Der Siebenröhrenbrunnen:
Symbol für Heil-Bronn

The "Siebenröhrenbrunnen" ('Seven-Pipe Fountain'), symbol for Heilbronn (which translates as 'Healing Fountain')

La fontaine «Siebenröhrenbrunnen»: cette source donna son nom à la ville de Heil-Bronn

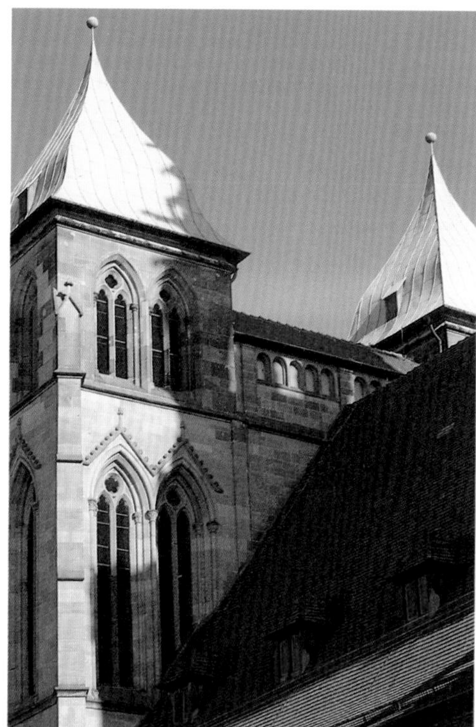

Kilianskirche: Impressionen

St. Kilian's: impressions

L''eglise Kilianskirche: impres-sions

Heilbronn – Stadt der Skulpturen:
»Christopherus«
von Jürgen Goertz

Heilbronn, city of sculputre:
"Christopherus",
by Jürgen Goertz

Heilbronn, ville des sculptures:
«St. Christophe«
de Jurgen Goertz»

»Die schwarze Hofmännin«
von Dieter Klumpp

"The Black Lady-in-Waiting",
by Dieter Klumpp

«La Hofmännin noire»
de Dieter Klumpp

»Orpheus« von Gunther Stilling

"Orpheus", by Gunther Stilling

«Orphée» de Gunther Stilling

Kunst im Stadtbild: »Der Maskenmann« von Wolfgang Matheuer vor dem Deutschhof

Art on the street: "The Masked Man", by Wolfgang Matheuer, in front of the Deutschhof

L'art marque aussi la physiognomie de la ville: «L'homme au masque» de Wolfgang Matheuer devant le Deutschhof

Romantik am Neckarufer

Romantic scenes on the banks of the Neckar

Idylle romantique sur les bords du Neckar

Trappenseeschlößchen:
Ein anerkanntes Auktionshaus
für Erlesenes

Trappensee Palace, a well-known auction house for precious items

Le petit château de Trappensee: un hôtel des ventes renommé où sont mis aux enchères des objets précieux

Schießhaus: Eine feine Adresse für Besonderes

Schiesshaus, a fine address for special events

La Schießhaus, renovée avec raffinement, est un lieu d'un attrait particulier

Im Schießhaus: Filigranes aus dem Rokoko

In the Schiesshaus: delicate rococo work

Dans la Schießhaus: filigranes datant de l'époque rococo

Die Festhalle Harmonie: Gepflegter Rahmen für Kultur und Geselligkeit

The "Harmonie" festival hall, a worthy setting for cultural and social events

La salle des fêtes «Harmonie» est un cadre soigné où se tiennent des manifestations culturelles et sociales

Frühling in Heilbronn:
Magnolienblüte auf der Allee

*Spring in Heilbronn:
magnolias in bloom on the
boulevard*

*Le printemps à Heilbronn:
floraison des magnolias
sur l'Allée*

Das Stadttheater
am Berliner Platz

*The Civic Theatre
on Berliner Platz*

*Le Théâtre municipal sur
la Berliner Platz*

Der »Theaterbrunnen«
von Gudrun Schreiner

*The Theatre Fountain
by Gudrun Schreiner*

*La «fontaine du théâtre»
de Gudrun Schreiner*

Die Städtische Galerie im Deutschhof: Schaufenster für zeitgenössisches Kunstschaffen

The Civic Gallery in the Deutschhof, s show window for contemporary art

La Galerie municipale au sein du Deutschhof: vitrine d'œuvres artistiques modernes

DRESDNER BANK
BADEN

Haberkornstraße
haben

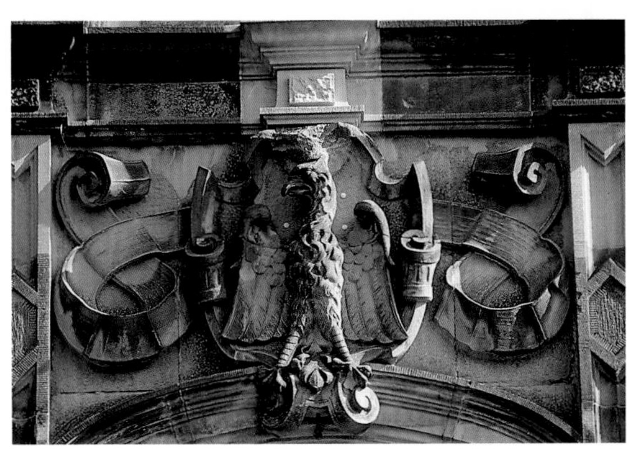

Heilbronner Blickpunkte aus verschiedenen Epochen

Views of Heilbronn from various epochs

Différents signes caractéristiques de Heilbronn datant de diverses époques

Aus der Vogelperspektive:
Freibad Gesundbrunnen,
Freibad Neckarhalde,
Wertwiesenpark, Frankenstadion

A bird's-eye view
Gesundbrunnen the Neckarhalde
swimming facilities,
the Wertwiesenpark
and the Franken Stadium

A vol d'oiseau:
la piscine découverte
«Gesundbrunnen, la piscine
découverte «Neckarhalde»,
le parc «Wertwiesenpark»,
le stade «Frankenstadion»

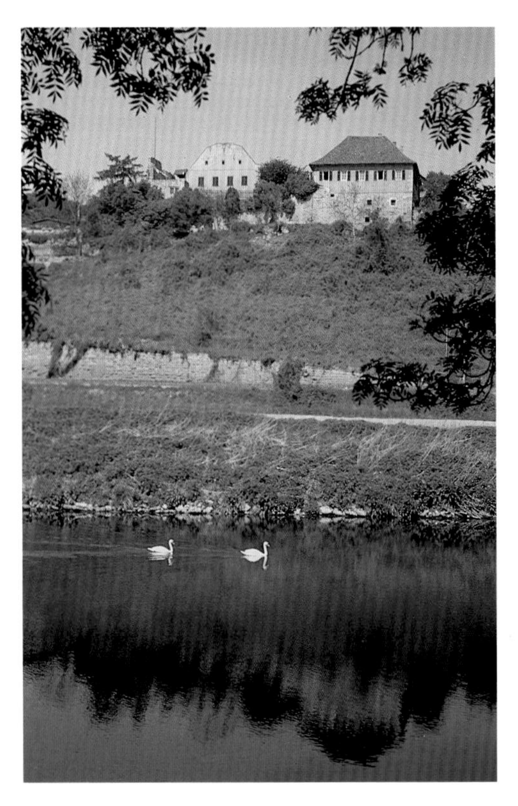

Heilbronner Stadtteile:
Klingenberg,
Biberach,
Frankenbach

Sections of Heilbronn

Quartiers de Heilbronn

Kirchhausen

Neckargartach

Horkheim

Sontheim

Das Olgazentrum: Treffpunkt
für das junge Heilbronn

*The Olga Centre, a meeting place
for Heilbronn's youth*

*Le centre «Olgazentrum»: lieu de
rencontres pour la jeunesse
de Heilbronn*

Der Deutschhofkeller: Guter Tip nicht nur für die Jugendszene

The Cellar in the Deutschhof, a good tip not just for young people

La cave du Deutschhof «Deutschhofkeller»: une adresse appréciée de toutes les générations

Heilbronner Kulturtage: Open-Air-Treff auf dem Gaffenberg

Heilbronner Culture Days, an open-air event on the Gaffenberg

Les journées culturelles des Heilbronn: manifestation en plein air sur le mont Gaffenberg

1945

Heilbronn und seine Feste:
Vom Pferdemarkt bis zum
Weindorf

*Heilbronn and its festivals,
from the Horse Market to the
Wine Village*

*Heilbronn et ses festivités:
du marché aux chevaux au village
du vin*

Das Weindorf rund ums Rathaus:
Der Heilbronner »Liebstes Kind«
und Treffpunkt für Gäste
aus aller Welt

The Wine Village around Guildhall, the Heilbronner's favourite event and a meeting place for guests from throughout the world

Le village du vin autour de l'hôtel de ville est le «chouchou» de Heilbronn et un lieu de rencontres des visiteurs du monde entier

RIESLING TRIO

Coca-Cola

Heilbronner Weindorf
Käse

Heilbronn:
Gestern und heute

Views of the Heilbronn of past and present

Les Heilbronn d'hier et d'aujourd'hui

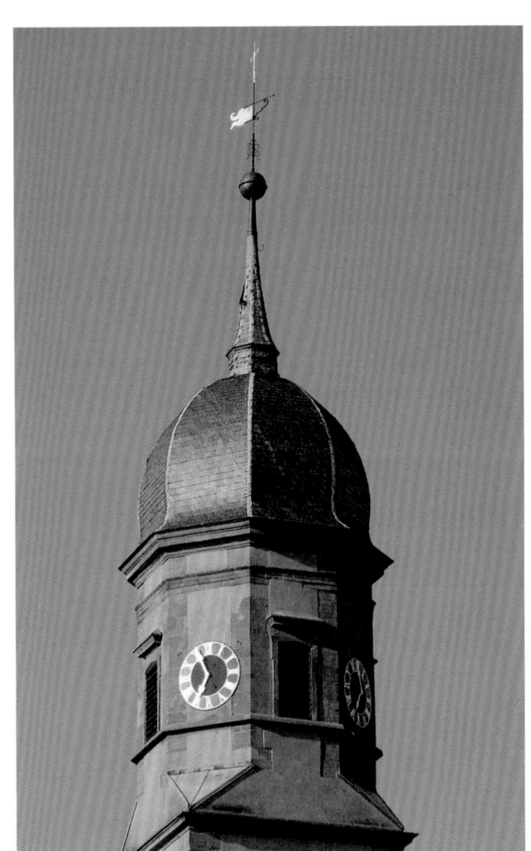

Götzenturm

Lebensraum Heilbronn

Von Wilfried Hartmann

Ansichten einer Stadt

»Wer Gold hat und zwanglos und gut und schön in Deutschland leben möchte, dem wollt' ich Heilbronn anrathen!« Diesen Satz – er könnte von einer cleveren Werbeagentur unserer Tage stammen – hat vor rund 200 Jahren der schwäbische Dichter und politische Rebell Christian Friedrich Daniel Schubart im Kerker auf der Festung Hohenasperg niedergeschrieben. Der leidgeprüfte Publizist erinnerte sich dabei an glückliche Tage in Heilbronn, an eine Stadt, die er liebgewonnen hatte.

Man sollte den Schluß seines Lobpreises auf Heilbronn genüßlich lesen, der da lautet: »Tief gewurzelt bleiben in meiner Seele die Eindrücke von Heilbronn – von diesem schönen Himmel, der über seiner Warte, Thürmen und Häusern hinströmt und von den guten, freien, heiteren, offenen, zu den reinsten Accorden der Freude und des Wohlwollens gestimmten Menschen daselbst. Wer Gold hat und zwanglos und gut und schön in Deutschland leben möchte, dem wollt' ich Heilbronn anrathen.«

Ähnlich begeistert äußerte sich Johann Wolfgang von Goethe, der seinen 48. Geburtstag in Heilbronn gefeiert hatte, und der am 28. August 1797 in sein Tagebuch schrieb: »Alles was man übersieht ist fruchtbar; das nächste sind Weinberge, und die Stadt selbst liegt in einer großen grünen Masse von Gärten. Der Anblick erweckt das Gefühl von einem ruhigen, breiten, hinreichenden Genuß.«

Friedrich von Schiller indessen, der vier Jahre vor Goethe für einige Wochen in der Reichsstadt zu Besuch weilte, urteilte über Heilbronn in einem Brief an seinen Freund Gottfried Körner: »Wissenschaftliches oder Kunstinteresse findet sich blutwenig. Einige literarische Nahrung verschafft mir eine kleine Lesebibliothek und eine schwach vegetierende Buchhandlung. Der Neckarwein schmeckt mit desto besser, und das ist etwas, was ich auch Dir gönnen möchte.«

So willkürlich diese drei literarischen Zitate, alle aus dem Ende des 18. Jahrhunderts stammend, auch ausgewählt wurden, so vermögen sie doch ein Bild zu zeichnen. Das Bild einer liebenswerten kleinen Stadt, einer reichsstädtischen Idylle. Einer Stadt, der die Attribute »liebenswerte Menschen«, »angenehme Umgebung« und »Wein« zugeordnet werden.

Doch es gibt auch andere Zeugnisse. Goethe etwa läßt seinen Götz von Berlichingen über Heilbronn sagen: »Das war mir von jeher ein fataler Ort!« und Karl Julius Weber, der »Hohenlohische Voltaire«, der »Lachende Philosoph«, fand schon vor über 150 Jahren: »Heilbronns größter Ruhm liegt in der Vergangenheit«. Dem pflichten heute nicht wenige bei...

Das Fortissimo der kritischen Töne indessen stimmte der langjährige Oberbürgermeister der Stadt Heilbronn und ehemalige Staatsanwalt Paul Hegelmaier an, der nach fast 20jähriger Amtszeit die Stadt im Jahre 1903 mit den Versen verließ: »Leck mich im A..., du Stadt der Krämerseelen, Ich blas aus dir heut meinen Abschiedsmarsch. An Narrenstreichen wird es

»Der Krahnen«, Lithographie der Gebr. Wolff um 1835

nie euch fehlen, doch mehr am Licht. Leckt mich im A...« Der Text ist in Originalhandschrift mitsamt den Punkten hinter dem großen »A« erhalten. Unabhängig von diesen »verschämten Punkten«, die heute kein deftig formulierender Autor mehr setzen würde, gibt es allerdings ein Urheberproblem. Literaturexperten sprechen diese Verse nämlich eher dem kritischen Theologen David Friedrich Strauss als dem herrischen Juristen Paul Hegelmaier zu. Beide waren Heilbronn einst eng verbunden, hatten dann aber die Stadt im Groll und Streit verlassen.

Dieser Blick in die Vergangenheit, ein Blick durch die Zitatenbrille, macht eines deutlich: Es gibt kein einhelliges Urteil über diese Stadt. Zu vielfältig sind die Meinungen, zu gegensätzlich die Empfindungen. Daran hat sich bis heute nichts geändert.

Auch heute läßt sie sich nicht mit einem einzigen Satz, einer treffenden Kennzeichnung, charakterisieren. Heilbronn – das ist keine »beschauliche Stadt«, keine »Stadt der Musen«, die wohlsituierte Pensionäre und vermögende Witwen anzieht, wie etwa eine Kurstadt oder eine traditionsreiche Universitätsstadt. Heilbronn – das ist aber auch keine nüchterne Industrie- oder Hafenstadt, in der die triste Arbeitswelt dominiert. Extreme stechen hier nicht.

Was dann? Nun, Heilbronn ist eine Stadt mit Tradition, eine ehemalige Reichsstadt mit jahrhundertelanger Selbständigkeit. Es ist aber auch eine brave schwäbisch-fränkische Mittelstadt, für die die offizielle Bezeichnung »Großstadt« – da über 100 000 Einwohner zählend – wahrlich eine Nummer zu groß geraten ist.

Wilhelmskanal (nach Süden), Lithographie von Federer nach Keller, 1850

Heilbronn ist eine tätige Stadt. Eine Einkaufsstadt von überregionaler Bedeutung, eine Industrie- und Handelsstadt, ein Wirtschaftszentrum eigener Prägung; aber zugleich besitzt sie Ausstrahlung und Atmosphäre, ein kulturelles Eigenleben. Und nicht zuletzt: Heilbronn ist eine Stadt mit einer herrlichen Umgebung, mit Freizeitwerten, die nicht erst geschaffen werden mußten, sondern die natürlich gewachsen, die einfach vorhanden sind. Dazu gehört auch der Wein. Und zwar in doppelter Hinsicht. Zunächst wirken die Weinberge als gestalterisches landschaftliches Element: Heilbronn ist gleichsam in sie hineingebettet. Und dann der Heilbronner Wein, der hier weit mehr ist als nur ein Getränk, der die Stadt und ihre Menschen – und damit auch die Heilbronner Feste – ganz entscheidend mit prägt.

»Glückliches Heilbronn« kann man aus dieser Sicht heraus auch heute noch sagen!

Doch die Heilbronner machen nicht viel Aufhebens davon. Sie sprechen eher – im »schwäbischen Diminutiv« – ganz schlicht von ihrem »Städtle«. Ein Wort, das nichts Abwertendes an sich hat, in dem vielmehr Liebe und Verbundenheit mitschwingen – fern aller Großmannssucht und eitler Überheblichkeit, mit der sich oft andere Städte anpreisen. Dieses Wort kommt dem Charakter von Heilbronn vielleicht am nächsten. Der Autor liebt es, dieses Wort (und dieses »Städtle«).

»Der Mittelpunkt von Europa«

Wo liegt nun dieses Heilbronn? Zunächst ist es müßig, einen Atlas oder eine großräumige Straßenkarte hervorzukramen. Sucht man Heilbronn, so hilft zu allererst – man mag es glauben oder nicht – das »Guiness-Buch der Rekorde«. In ihm findet sich auf Seite 123 der Hinweis: »In Mitteleuropa liegt das Gebiet um die Stadt Heilbronn (Baden-Württemberg) im Zentrum zwischen Nordsee, Ostsee, Adria und Ligurischem Meer«. Heilbronn also der »Mittelpunkt von Europa!« Welch ein Superlativ! Dabei ist dieser Eintrag in dem gefragten »Buch der Rekordsüchtigen« ganz gewiß nicht von der Heilbronner Stadtverwaltung lanciert worden. Da waren vielmehr nüchterne Geographen am Werk, unbestechlich und ohne Blick auf die Interessen der Stadtwerbung.

Heilbronn lag schon immer an völkerverbindenden Handelsstraßen, die von Brabant nach Oberitalien und von Paris nach Prag führten. Bereits vor Jahrhunderten zogen hier betuchte Kaufleute und plündernde Raubritter, kriegerische Heere und lebensfrohe Weltreisende vorbei. Heilbronn genoß in seiner langen Geschichte immer wieder die Vorteile dieser Zentralität und mußte andererseits unter ihr leiden. Die Stadt-Historie beweist dies zur Genüge.

Auch heute noch wird diese Mittelpunktfunktion bestätigt. Im Autobahnnetz zum Beispiel. Von Heilbronn aus weisen die Autobahnen in alle vier Richtungen: Nach Süden, gen Stuttgart, der nur 50 Kilometer entfernten Landeshauptstadt, sechsspurig und mit hohem Verkehrsaufkommen, sowie von dort weiterführend nach München, an den Bodensee und ins obere Rheintal.

Nach Westen, in Richtung »Walldorfer Kreuz« und von dort weiter nach Heidelberg/Mannheim und nach Frankfurt sowie in den westdeutschen Raum.

Nach Norden, über Würzburg ins Ruhrgebiet und nach Niedersachsen sowie nach Osten, in die mit Heilbronn seit Jahrhunderten befreundete Stadt

Nürnberg, gleichzeitig das Tor nach Mitteldeutschland, ja nach Osteuropa öffnend.

Diese weiträumige Einbindung hat mehr als nur wirtschaftliche Bedeutung. Sie eröffnet zugleich auf zahlreichen Gebieten hervorragende Zukunftschancen.

Ähnliches gilt – wenn auch in ganz anderer Weise – für das engere Umfeld, das burgengesäumte Neckartal. Diese Landschaft, am Rande des Schwäbischen Waldes, dessen Ausläufer in die Stadt hineingrüßen, lädt zum Wandern und Verweilen, zum Vespern und Vergnügen, zum heimisch werden geradezu ein. Umgeben von Weinbergen und Wäldern, angelehnt an den Fluß, kann sich Heilbronn mit Recht seiner Umgebung rühmen.

Dabei ist nichts Aufgesetztes zu spüren, nichts Gekünsteltes. Wer einmal in einer Bauernwirtschaft im Weinsberger Tal oder im Zabergäu gevespert hat, der empfindet spätestens beim dritten »Viertele« daß es sich hier leben läßt. Hier im Grenzraum zwischen Franken und Schwaben, in dem die Mentalitäten und Eigenarten beider Volksstämme noch sichtbar sind.

Viele Heilbronner – nicht nur die Alteingesessenen – lieben diese Stadt. Vielleicht gerade deswegen, weil sie nichts Großartiges, nichts Sensationelles an sich hat. Weil sie grundsolide und brav eben Provinz bedeutet. Und weil sie sich in keine Schablone pressen läßt. Heilbronn galt schon immer als liberale Stadt, nicht nur politisch gesehen. Und diese Liberalität ist in vielfältiger Weise zu spüren.

Für den , der vom heutigen Heilbronn spricht, gibt es in der Stadtentwicklung eine ganz klare Zäsur, gleichsam eine historische »Stunde null«. Am 4. Dezember 1944, wenige Monate vor Kriegsende, ging das alte Heilbronn mit seinen engen Gassen und trauten Winkeln, seinen Patrizierhäusern und markanten Bauwerken im Bombenhagel unter. Die Stadt verlöschte, sank in Schutt und Asche. Über 7 000 Frauen, Männer und Kinder starben. Die gesamte Innenstadt und weite Außenbereiche wurden zerstört. Erschütternde Schicksale einer umbarmherzigen Zeit, einer grausamen Welt.

Die Nachkriegsjahre brachten dann weder Resignation noch die Verlegung der Stadt, von der einige allzu großzügige Städteplaner zunächst geträumt hatten, sondern vielmehr das »Aufbauwunder von Heilbronn«, wie der rasche Wiederaufbau rückblickend oft genannt wird. In einer städtebaulichen Studie aus dem Jahre 1962 heißt es dazu: »Es ist eigentlich paradox; die Bürger von Heilbronn haben es fertiggebracht, die Trümmer in Schönheit zu verwandeln«.

Die Innenstadt erstand neu. Großzügiger in der Führung der Straßen und Gassen, aber orientiert an der alten Stadt, von ihr städtebaulich mit geprägt. Rathaus und Kilianskirche, Deutschhof und Käthchenhaus wurden wieder aufgebaut – historisch getreu nachempfunden. Heilbronn blieb Heilbronn, wenn sich auch sein Gesicht veränderte. Und wenn viel Neues hinzukam: Fußgängerzonen und Hochhäuser, moderne Wohngebiete, vierspurige Straßen, Einkaufszentren und Industriebauten, Schulen und Geschäftshäuser, Parks und Spielplätze, Sportstätten und ein eindrucksvolles Theater. Allein 32 500 Wohnungen, um nur eine einzige Zahl zu nennen, sind nach dem Krieg in Heilbronn gebaut worden. 32 500 Wohnungen in einer Stadt mit heute 115 000 Einwohnern!

Blick von der Götzenturmstraße zur Kilianskirche, 1945/46

Nicht alles, was da in den ersten Nachkriegs-Jahrzehnten entstand, entspricht heutigen Wertvorstellungen. Manches ist kleinkariert und nur aus der damaligen Zeit heraus zu verstehen. Und so manches Moderne mißfällt schon nach wenigen Jahren. Aber so ist das heutige Heilbronn nun einmal. Eine Mischung aus wiedererstandenem Alten und aus neu Hinzugekommenem, aus Gutem und weniger Gelungenem, aus Sehenswertem und aus Bauten, an denen man am besten rasch vorübergeht...

Doch in welcher Stadt gibt es so etwas nicht? Und wo kennt man jene Eigenschaft nicht, die dem Heilbronner ebenfalls recht deutlich zu eigen ist: Das Bruddeln, um es schwäbisch zu sagen. Der typische Heilbronner schimpft und jammert über seine Stadt. Er läßt an der »Obrigkeit« keinen guten Faden. Doch wehe, ein Auswärtiger, ein »Reingeschmeckter«, stimmt in dieses Klagelied mit ein. Das können die

Heilbronner nicht ertragen, daß Fremde ihr »Städtle« schlecht machen. Da werden sie widerborstig.

Wobei natürlich sofort die Frage im Raume steht, wer denn nun eigentlich ein »echter Heilbronner« sei. Muß er in Heilbronn geboren sein, womöglich in der dritten, vierten oder fünften Generation? Muß er einen Wengert, wie hier die Weinberge heißen, besitzen? Oder genügt schon, daß man einige Jahre hier lebt und wenigstens drei bis viermal auf dem Weindorf gesehen wurde?

Dies alles ist Auslegungssache. Ein Blick in die Statistik mag indessen einiges klarstellen. Die rund 115 000 Einwohner fühlen sich ganz gewiß nicht alle als Heilbronner. Da sind zunächst einmal 16 000 Ausländer, also ein Anteil von über 14 Prozent – die amerikanische Militärgemeinde, die in den einstigen Wehrmachts-Kasernen ein weitgehendes Eigenleben führt, nicht mitgerechnet. Bei den Ausländern steht die Zahl der Türken an erster Stelle, gefolgt von Jugoslawen und Italienern. Doch dies ist nicht das einzige Kriterium.

Nur 55 000 »Heilbronner«, das ist noch nicht einmal die Hälfte der gesamten Einwohnerzahl, wohnen in der eigentlichen Stadt. Etwa 53 Prozent hingegen in den acht Stadtteilen, die die Kernstadt umschließen. Die drei großen Stadtteile (Böckingen, Neckargartach und Sontheim mit insgesamt 40 000 Einwohnern) gehören zwar schon seit über 50 Jahren zu Heilbronn,

Obere Kaiserstraße und Schulgasse mit »Barbarino Eck« (links)

ohne indessen ihre Eigenart aufgegeben zu haben. Und wehe, man würde einen alten Böckinger, »Seeräuber« lautet ihr Spitzname, einen »Heilbronner« nennen. Dort hat sich über ein halbes Jahrhundert hinweg ein gesundes Selbstbewußtsein erhalten.

Anfang und Mitte der siebziger Jahre kamen dann noch fünf weitere Stadtteile (Klingenberg, Kirchhausen, Biberach, Frankenbach und Horkheim mit zusammen etwa 20 000 Einwohnern) hinzu. Der Stadtkreis Heilbronn in seiner heutigen Gestalt, das »Oberzentrum der Region Franken«, war damit geboren. Heilbronn wurde zur »Großstadt« ernannt. Viele lächelten.

Es wäre aber gleichermaßen vermessen, die 55 000 Bewohner der Kernstadt als »Heilbronner« zu bezeichnen. Tausende von Flüchtlingen, Vertriebenen und Aussiedler sind darunter. Und weitere Tausende, die die Mobilität unserer Gesellschaft und die Nord-Süd-Wanderungsbewegung der jüngsten Zeit von Rhein und Ruhr, von Heide und Marsch, von Nord- und Ostsee an den Neckar geführt hat.

Das Heiterste, was man in Schwaben sehen kann

Wo sind sie nun, die »echten Heilbronner«? Sicher, es gibt sie noch. Bei den Wengertern etwa, dem »Stand«, wie man hier zu den Weingärtnern sagt, oder in bürgerlichen Kreisen, bei den Handwerkern und in den verschiedensten Gesellschaftsschichten. Sie prägen nach wie vor das Leben in der Stadt. Die anderen, die Zugezogenen, die hier heimisch Gewordenen, passen sich an, setzen aber auch neue Akzente.

Daher kann eine Charakterisierung des Heilbronners, jenes Bürgers also, der diese Bezeichnung aufgrund der Herkunft verdient, nur unter Vorbehalt erfolgen. Eines aber ist unbestritten: Der Heilbronner fühlt sich mehr als Franke denn als Schwabe, auch wenn er immer wieder als »Schwabe« angesprochen und seine Heimat als »Schwabeländle« bezeichnet wird. Die Landschaft, in der er lebt, heißt jedoch »Region Franken« – ein offizieller Name der Verwaltungssprache. Das ist kein Zufall.

Denn beim echten Heilbronner sind die fränkischen Wesenszüge deutlicher zu spüren als die schwäbischen Kräfte der Beharrung und der Zurückhaltung, des Soliden und manchmal auch etwas Schwerfälligen. Der Franke hingegen ist gewandt und festesfroh, aufgeschlossen und begeisterungsfähig, gesellig und heiter, aber auch beeinflußbar, etwas wankelmütig und provinziell. Und beim Heilbronner kommt da noch das historisch gewachsene Selbstbewußtsein des ehemaligen »Reichsstädters« hinzu, das: »Wir sind Heilbronner Bürgersöhn' und lassen uns net lumpen, wir lehn kein schenes Mädle stehn und auch koin vollen Humpen...«

Bei allem Lobpreis auf den Heilbronner verhallen natürlich die Stimmen derjenigen nicht ungehört, die – in Leserbriefen und bei Stammtischgesprächen – die »Stadt des Käthchens und des Weines« auch kritisch sehen. Die Alteingesessenen reagieren hier – wen wundert dies schon – ausgesprochen allergisch und spotten über die Kritikaster, die »ihr Städtle« als kleinkariert und Schilda-ähnlich brandmarken – und dann doch voll Vergnügen hier wohnen bleiben.

Wobei zum Vergnügen ganz gewiß die Heilbronner Feste ihr Teil beitragen. Es ist ein ganzer Festes-Reigen, der sich so durch den Jahresablauf zieht. Beginnend im Februar mit dem traditionsreichen Pferdemarkt und endend in der Adventszeit mit dem glitzernden Weihnachtsmarkt auf dem Marktplatz. Alle diese Feste – das »Unterländer Volksfest«, bei dem im August das Bier fließt, lediglich ausgenommen – werden vom Wein geprägt. Dies stört so manchen sauertöpfischen Griesgram, dies erfreut indessen Tausende und Abertausende; wobei die Gesamtzahl der Besucher im Jahr gewiß an die Million heranreicht. Machen wir ein paar Stationen in diesem bunten Heilbronner Festes-Kaleidoskop:

Es duftet nach gebrannten Mandeln und nach Würsten vom Rost; es herrscht – je nach Petrus' Laune – klirrender Frost, Schneetreiben oder ungemütliches Sudelwetter; die Heilbronner und mit ihnen die Bauern und Gäste aus dem weiten Umkreis wissen es: Ende Februar ist Pferdemarkt! Er findet nicht auf irgendeinem sterilen Festplatz am Rande der Stadt und auch nicht auf dem Marktplatz, sondern – einer alten Tradition gemäß – am Rande der Innenstadt, entlang der Karlstraße und Moltkestraße statt. Hier reiht sich dann Bude an Bude und Stand an Stand. Hier schieben und drängen sich Schaulustige und Käufer. Hier herrscht noch echte Marktatmosphäre. Die Pferde stehen schon lange nicht mehr im Mittelpunkt. Sie sind – mit sehenswerten Vorführungen und fachkundigen Prämiierungen – in die Reitanlagen am Trappensee »verbannt«. Lediglich einige »Händlerpferde« wechseln am Rande des Marktes noch per Handschlag den Besitzer. Und doch hat dieser Pferdemarkt, bei dem die alten Viehmarkts-Taler aus dem Jahre 1770 als vielbegehrte Züchterauszeichnungen wieder fröhliche Urständ feiern, sein Fluidum bewahrt. Es soll alte Heilbronner geben, die inzwischen fern der Heimat leben, denen aber der Pferdemarkt alljährlich eines Reise von einigen hundert Kilometern wert ist. Hier lebt es noch, das »alte Heilbronn«.

Übertroffen wird der Pferdemarkt – der Vergleich mag hinken – lediglich vom »Heilbronner Herbst«. Er allerdings hat sein Gesicht gewandelt. Und dies sicher zu Recht. Tradition nur um der Tradition willen, kann kein Maßstab sein. Die Lobgesänge auf die Heilbronner Weinfeste der Vergangenheit, auf die Privatherbste der Heilbronner Hautevolee und die rustikalen Feiern des Volkes, auf überschäumende Herbstfeste auf dem Wartberg und auf der Cäcilienwiese, sie füllen Bände. Literaten und solche, die sich dafür hielten, haben hier Gereimtes und Ungereimtes in Fülle von sich gegeben. Das Hohelied auf den Heilbronner Herbst klingt in vielen Strophen. Der Dichter Gustav Schwab hat es schon vor über 150 Jahren in einem einzigen Satz ausgedrückt: »Das Heiterste, was man in Schwaben sehen kann!«

Heute ist man nüchterner geworden. Wobei das Wort »nüchtern« nicht für alle Zecher gilt. Und doch strahlt auch der »neue Heilbronner Herbst«, das »Weindorf rund ums Rathaus«, eine eigene Atmosphäre aus. Es ist im Jahre 1971 ins Leben gerufen worden und hat sich die Herzen der Heilbronner und deren Gäste im Sturm erobert. Hier ist man mobiler als einst beim »Herbst«, hier wandert man meist von Faß zu Faß, von Tisch zu Tisch, von Stand zu Stand. Und hier wird der Wein von einem runden Dutzend Unterländer Genossenschaften und von privaten Weingütern im »Zehnteles-Glas« ausgeschenkt. Früher bevorzugten die Heilbronner den »Schoppen« – wobei man wissen muß, daß der schwäbische Schoppen einen halben Liter mißt und nicht etwa nur ein »Viertele«, wie in anderen Landesteilen üblich.

»Die zwei Papiermühlen«, Lithographie der Gebr. Wolff, 1835

Beim »Weindorf« probiert sich der Kundige mit seinem Zehnteles-Glas genüßlich durch ein Angebot von über 200 Weinen – vom soliden Qualitätswein über rassige Spätlesen und elegante Auslesen bis hin zum Öchsle-trächtigen Eiswein. Dazu gibt es Zwiebelkuchen und Maultaschen, Saure Rädle und sonstige schwäbische Spezialitäten.

Das Weindorf lockt inzwischen Hunderttausende an. Es ist zu einem Stück »Heilbronn« geworden, zu einem fröhlichen Treffpunkt von Freunden und Zufallsbekanntschaften. Ja, das Renommee reicht noch darüber hinaus: Das zehntägige Heilbronner Weinfest wird immer mehr zur Fremdenverkehrsattraktion, zu der Besucherscharen in Omnibussen und Sonderzügen anreisen. Die alten Heilbronner – und natürlich

Ein Stück reichsstädtischer Vergangenheit: Deutschhof mit Deutschordensmünster

auch die genervten Anwohner im Stadtzentrum – sehen diese Entwicklung mit gemischten Gefühlen und fragen sich: Muß es denn immer die Masse sein?

Neu entdeckt haben die Heilbronner in jüngster Zeit auch »ihren Fluß«, den Neckar. Er hat die Geschichte und die wirtschaftliche Entwicklung der Stadt über Jahrhunderte hinweg beeinflußt. Jetzt dient er auch als festesfroher Mittelpunkt – dies im turnusmäßigen Wechsel mit dem »Traubenblütenfest«, das auf den Wertwiesen stattfindet, einem wunderschönen Freizeitpark, der anläßlich der Heilbronner Landesgartenschau im Jahre 1985 im Süden der Stadt entstanden ist.

Es hieße jedoch die Stadt Heilbronn – und auch die Heilbronner – zu verkennen, würde man den Festesbogen nur über die Bier- und Weinfeten unter freiem Himmel spannen. Das fränkisch-gesellige Heilbronn bietet weit mehr. Eine bunte Gastronomie-Palette zum Beispiel, mit über 500 Gaststätten – von der schlichten Eckkneipe bis zum gepflegten Service im anspruchsvollen Haus.

Und dann die Vielzahl der Veranstaltungen in der Festhalle »Harmonie«, der »guten Stube der Stadt«. Sie reichen von Tagungen und Konzerten bis hin zu Vereinsfeiern und eleganten Bällen. An 300 Abenden im Jahr (und noch dazu an so manchem Nachmittag) ist die »Harmonie«, eine der ersten repräsentativen Nachkriegsbauten der Stadt, belegt. Der Name, auf eine bürgerschaftliche »Harmonie-Gesellschaft« zurückgehend, hat eine fast zweihundertjährige Tradition. Ein Beispiel mehr für das in langen Zeiträumen gewachsene gesellschaftlich-kulturelle Leben dieser Stadt.

Einem dieser »Harmonie«-Bälle in der Wintersaison kommt eine ganz besondere Bedeutung zu: Der deutsch-amerikanische Freundschaftsball. Er ist nicht nur ein Symbol für das gute Verhältnis der Heilbronner US-Garnison zu den deutschen Gastgebern, er bietet darüber hinaus auch den Rahmen für eine Heilbronn-spezifische »Miss-Wahl«. Alle zwei Jahre wird hier von einer strengen Jury das »Käthchen von Heilbronn« gekürt. Die literarische Symbolfigur der Stadt hat dann in lieblicher Aufmachung bei Empfängen und festlichen Anlässen – umgeben von Bürgermeistern, Ministern und sonstigen Würdenträgern – die Stadt zu repräsentieren. Dies geschieht nicht nur innerhalb der eigenen Mauern, sondern auch weit darüber hinaus; beim Bundespräsidenten in Bonn etwa oder bei den »Deutschen Tagen« in den USA.

Wer nun glauben sollte, an die »Käthchen-Aspirantinnen« würden Miss-Wahl-Ansprüche wie bei Schönheits-Konkurrenzen gestellt, der irrt. Das Heilbronner Käthchen wird nicht nach Hüftumfang und Oberweite beurteilt. Es geht vielmehr um literarisches und heimatkundliches Wissen, um Auftreten und Schlagfertigkeit, um Verstand und Ausstrahlung. Dazu kommen zwei Voraussetzungen: Die Bewerberinnen müssen mindestens seit einem Jahr in Heilbronn wohnen und möglichst zwischen 17 und 20 Jahre alt sein. Hübsch sind die Heilbronner Käthchen allemal – wie die meisten Heilbronnerinnen an sich. Dies war schon immer so. Bereits vor 200 Jahren wurde den »Frauenzimmern« hier attestiert, sie hätten einen »schönen Wuchs und schlanken harmonischen Gliederbau«. Und der Chronist fährt fort: »Welch ein Unterschied zwischen einer schlanken Heilbronnerin und einer dicken, pfostigen Gmünderin! Man wird sie schwerlich für Bewohner eines Landes halten, wenn man sie nebeneinander sieht.«

Ein englischer Autor indessen, der Ende des 18. Jahrhunderts Deutschland bereiste, urteilte über die Heilbronner: »Das schöne Geschlecht hat hier nicht mehr so große Füße und schwarze faule Zähne wie in dem übrigen Schwaben; seine Erziehung ist sanft und ungezwungen, und doch weniger ausgelassen als bei den anderen.« Da bleibt, als gleichsam »höchste Instanz«, nur noch der Dichterfürst Goethe, dem weiblichen Geschlecht bekanntlich keineswegs abhold, der diese Urteile in seinem Brief aus Heilbronn im Jahre 1797 wie folgt bestätigt: »Die Menschen sind durchaus höflich und zeigen in ihrem Betragen eine gute, natürliche, stille, bürgerliche Denkart. Die

Mägde sind meist schöne, starke und feingebildete Mädchen und geben einen Begriff von der Bildung des Landvolks.«

Die Heilbronner Käthchen unserer Tage blicken also, dies wird hier deutlich, auf eine gefällige »Ahnenreihe« zurück. Warum allerdings Heinrich von Kleist sein im Jahre 1810 in Wien uraufgeführtes Ritterschauspiel »Das Käthchen von Heilbronn« gerade in dieser Stadt ansiedelte, ist bis heute ungeklärt. Es gibt Vermutungen und wissenschaftliche Auslegungen der verschiedensten Art. Aber man weiß noch nicht einmal zuverlässig, ob sich der, einer alten preußischen Offiziersfamilie entstammende Dramatiker jemals in der Reichsstadt am Neckar aufhielt.

Heilbronn jedenfalls hat er ein vortreffliches »Aushängeschild« beschert, eine Symbolfigur, wie sie einer Stadt nicht besser zufallen kann. Daß dieses »Käthchen« heute gelegentlich auch – ein Zeichen unserer Zeit und ihrer Lebensformen – ins Kitschige abgleitet, betrübt so manchen kulturell engagierten Heilbronner. Doch wer stemmt sich schon erfolgreich gegen die Übermacht der Werbung und den Zeitgeist des Publikumgeschmacks?

Die Tradition der Gegensätze

Das Käthchen ist nun zwar »Heilbronns liebstes Kind«, als »größten Sohn« feiern die Heilbronner aber Robert Mayer. Der im 19. Jahrhundert wirkende Arzt und Naturwissenschaftler gilt als Entdecker des Gesetzes von der Erhaltung der Energie und als einer der Väter der modernen Physik. Als Wissenschaftler blieb er zu Lebzeiten in seiner Vaterstadt (»Dr narret Mayer«) verkannt und auch von weiten Kreisen der Fachwelt unverstanden. Der Mehrzahl der Heilbronner ist er trotz Denkmal und Schulname (Robert-Mayer-Gymnasium) im Grunde bis heute fremdgeblieben. Und wer kennt schon jenseits der Stadtgrenzen auch nur den Namen?

Da ist den Bürgern dieser Stadt der erste Bundespräsident Theodor Heuss weit näher. Er hat, obwohl im nahen Brackenheim geboren, Heilbronn stets als seine Vaterstadt gesehen und ausgegeben. Hier besuchte er das Gymnasium, hier arbeitete er von 1912 bis 1917 als Chefredakteur der angesehenen »Neckar-Zeitung« und hier, im leider kriegszerstörten, einstmals aber wunderschönen Rokoko-Archivgebäude der Stadt, schrieb er im Jahre 1905 seine Doktorarbeit über das Thema »Weinbau und Weingärtnerstand in Heilbronn a. Neckar«.

Diese drei – das legendäre Käthchen, der Naturwissenschaftler Robert Mayer und der Journalist, Literat und Politiker Theodor Heuss – mögen typisch sein für diese Stadt und ihre sagenumwobene Geschichte, ihre protestantische Nüchternheit und ihre lebensbejahende Liberalität. Wobei nicht verschwiegen sein soll, daß Heilbronn darüber hinaus eine ganze Reihe angesehener Männer hervorgebracht hat.

Dazu zählen das vom Nimbus des »Genialischen« umwitterte, früh vollendete Dichtertalent Wilhelm Waiblinger und der zeitkritische Schriftsteller und Kunstkritiker Ludwig Pfau, der vor wenigen Jahren verstorbene Romancier und Essayist Otto Rombach und der moderne Satiriker und Fernsehautor Herbert Asmodi. Aber auch – fern allem Literarischen – Wilhelm Maybach, der »König der Konstrukteure« und Gustav von Schmoller, der anerkannte Nationalökonom, der Porträtmaler Heinrich Füger und der Landschaftsmaler Friedrich Salzer, der Berliner »Zirkus-König« Ernst Jakob Renz und der Sektfabrikant Georg Christian Kessler, die Unternehmer Georg Peter Bruckmann und Gustav Schaeuffelen, der Architekt und Eisenbahningenieur Karl Etzel und der Stammvater einer Waffenfabrik, Franz Andreas Mauser – um nur ein rundes Dutzend zu nennen.

Zum heutigen Leben in Heilbronn gehören jedoch nicht nur die Erinnerungen an große Namen der Vergangenheit. Dazu zählen auch »Kleinigkeiten«, die für viele »groß« wurden. Der »Gaffenberg« zum Beispiel, ein Ferienwaldheim hoch über der Stadt; eine große und in ihrer Art wohl einmalige Einrichtung der Stadtranderholung für Kinder. Vor 65 Jahren gab ein weitblickender Jugendpfarrer, der legendäre »Z«, die ersten Impulse, schuf ein hilfsbereiter Heilbronner Handwerksmeister die äußeren Voraussetzungen. Inzwischen hat dieser »Gaffenberg«, bei dem sich der Flurname längst zum Begriff gewandelt hat, über 100 000 Kindern ungetrübte Ferienwochen beschert (und gleichzeitig eine nicht mehr genau ermittelbare Zahl von Onkel-Tanten-Ehen gestiftet). Dies ist ein griffiges Beispiel für praktische Jugend- und Sozialarbeit, ein Beispiel, das auch für vergleichbare Einrichtungen sozial engagierter Träger beim Heilbronner »Jägerhaus« und dem benachbarten »Haigern« steht.

Heilbronn ist – und dies wird niemand bestreiten – auch eine Stadt mit Herz. Es ist nicht nur die potente Industriemetropole, die moderne Einkaufsstadt, das kulturelle Zentrum der Region Franken. Ein letztes Zitat mag dies nochmals bekräftigen.

Die erfolgreiche Romanautorin Victoria Wolf, deren Werke ein Lesepublikum in zahlreichen Ländern begeistern, mußte im April 1933 aus ihrer Heimatstadt Heilbronn emigrieren. Vier Jahrzehnte später schrieb sie – nach einem Besuch in der alten Heimat – über »ihr Heilbronn«: »Nach dem Krieg kam ich 1949 erstmals wieder nach Heilbronn. Es roch nach Rauch, Mörtel und Staub. Es gab mehr Ruinen als Häuser.

Jetzt ist eine dynamische Stadt erstanden; Spuren mittelalterlicher Geschichte in ihrer neuen Form. Verglichen mit gleich großen süddeutschen Städten ist sie wohl die lebhafteste, anregendste, am weitesten zielstrebige und sicher die, die am herzlichsten Kontakt hält mit ihren Ausgewanderten.«

Und die inzwischen längst zur Amerikanerin gewordene Schriftstellerin fährt im Blick auf ihre Vaterstadt fort: »Das einstige 'Schaffe, schaffe, spare, Häusle baue und dann sterbe' ist vorbei. Man sieht es an den Auslagen der eleganten Geschäfte, an den gepflegten Gärten der Wohnhäuser, und man spürt es am süffigen Wein, der lokal getrunken und ja nicht exportiert wird. Aber trotz intensiver Arbeit wird hier nicht >versauert<. Der Heilbronner ist ja ein spezieller Schwabe mit fränkischem Einschlag. Es gehört dazu, daß er etwas aus seinem Leben macht. Jeder meiner einstigen Kameraden, mit denen ich vor langen Jahren die Schulbank absaß, ist etwas Richtiges geworden. Jeder an seinem Platz. Jeder in seinem Fach. Anders hätte es ja auch nicht sein können. So etwas verlangt man einfach von einem Heilbronner!«

Wer will Victoria Wolf, der »großen alten Dame« im Genre des Unterhaltungsromans unseres Jahrhunderts bei solch einem Urteil widersprechen?

So mancher Nicht-Heilbronner wird sich verwundert fragen, was dies wohl für ein Menschenschlag, was dies für eine Stadt sein mag. Ein Heilbronner würde, ohne viel Aufhebens zu machen, nicken und sagen: So sind sie halt, die Heilbronner. Und er würde allenfalls hinzufügen: Es läßt sich schon leben, in unserem »Städtle«!

Kultur – ein Blick hinter die Kulissen

Zwischen »Kulturring« und Deutschlands ältestem Weingärtnerchor

Die Heilbronner denken bei dem Wort »Kultur« zu allererst an die Obst- und Rebkulturen rund um die Stadt, so behaupten böse Zungen. Allein diese seien für sie der Inbegriff von Kultur. Und die Spötter zitieren dabei noch genüßlich das – vielfach mißverstandene – Wort von der »Kulturwüste«, die sich um Heilbronn ausbreite. Ein Wort, das der einstige Kulturdezernent der Stadt vor über zwei Jahrzehnten in einem ganz anderen Zusammenhang geprägt hatte; wobei er eher vorwurfsvoll das Land Baden-Württemberg in die »kulturelle Pflicht« nehmen wollte.

Es gibt – aus Vergangenheit und Gegenwart – der Zitate mehr, die das Bild zeichnen könnten: Heilbronn, die Stadt der »Krämerseelen«, habe mit Kultur rein gar nichts gemein, habe dafür weder Verständnis und Interesse, noch Geld. Der derzeit amtierende Kultur-Bürgermeister indessen versucht, die Situation zunächst rein verbal zurechtzurücken, indem er erklärt: »Heilbronn ist keine Kulturwüste. Wer dies behauptet, der weiß gar nicht, was hier tatsächlich geboten wird.« Eine Aussage, die man zweifellos so stehen lassen kann, die zutreffend, ja treffend ist.

Anzumerken bleibt allerdings, daß Heilbronn gewiß nicht zu den Städten kultureller Avantgarde, zu den herausragenden kommunalen Kulturzentren gehört. Dafür fehlen grundlegende Voraussetzungen: Eine Universität zum Beispiel, als geistiges Kraftfeld mit entsprechender Ausstrahlung. Oder jene höfische Tradition, die sich in Bauten und Einrichtungen weltlicher oder kirchlicher Residenzen spiegelt. Oder die urbane Bedeutung moderner Metropolen. Doch zwischen »Kulturzentrum« und »Kulturwüste« tut sich ein weites Feld auf – ein Feld, auf dem sich Heilbronn durchaus behaupten kann.

Der Schriftsteller Otto Rombach, ein gebürtiger Böckinger und damit der Stadt Heilbronn, die seinen Heimatort vor über einem halben Jahrhundert als Stadtteil »einverleibte«, eng verbunden, hat es einmal so formuliert: »Dies dürfte nämlich das Ziel einer Stadt wie Heilbronn sein: Wieder den Ruf zu erlangen, neben dem Wissen, mit dem sich künftig der Mensch in Wirtschaft, Wissenschaft und Technik zu behaupten hat, neben dem Hafen mit seinen lebenswichtigen Gütern, auch im feineren Sinne Umschlagplatz von geistigen Gütern für alle zu sein.«

Mißt man die kulturelle Bedeutung einer Stadt an den repräsentativen Veranstaltungen, den Konzerten, Kunstausstellungen und Theaterpremieren sowie an der Besucherresonanz, dann ist die Stadt Heilbronn ganz gewiß mehr »Oase« denn »Wüste«. Diese Feststellung beweist sich von Saison zu Saison und ist belegbar anhand von Zahlen und Fakten. Ein Blick »hinter die Kulissen« mag dies bestätigen.

Drei verschiedene Konzertreihen stehen dem Anhänger klassischer Musik zur Wahl: Der »Kulturring« mit einem erlesenen Gastspielprogramm, mit europäischen Spitzenorchestern und Solisten von internationalem Rang; das »Württembergische Kammerorchester Heilbronn«, durch Konzertreisen mit Stars wie Maurice André, Anne-Sophie Mutter und anderen, weit über die nationalen Grenzen hinaus bekannt; sowie das »Heilbronner Sinfonie-Orchester«, das gelegentlich auch einheimischen Künstlern eine Chance bietet. Allein diese drei Veranstalter präsentieren Jahr für Jahr rund zwei Dutzend Abonnements-Konzerte in der Festhalle »Harmonie«. Dazu gesellen sich zahlreiche weitere Konzerte der unterschiedlichsten Träger. Sie reichen von der Kammermusik, für die vor allem der wunderschöne Rokoko-Saal des »Schießhauses« einen stilvollen Rahmen bildet, bis hin zur experimentellen Moderne. Wo wird in einer Stadt mit vergleichbarer Größe auch nur Ähnliches mit solchem Niveau und in dieser Vielfalt geboten?

Die Musik-Kultur in Heilbronn hat durchaus Großstadtcharakter. Dies ist nicht zuletzt dem Wirken von drei Persönlichkeiten zu verdanken, die – nach Lebensstil und Ausbildung sehr verschieden – eines gemeinsam haben: Die Liebe zur Musik, zur Kultur: Hier Professor Jörg Faerber, Dirigent, Begründer und Seele des Kammerorchesters, seit Jahrzehnten unermüdlich treibend, bewegend, suchend und fordernd – und dort Dr. Carl Frühsorger, Heilbronner von Geburt, Arzt von Beruf und seit mehr als 40 Jahren der »personifizierte Kulturring«. Ein Mann, der Bildung und Kunstverstand mit beispielhaftem Engagement verbindet. Und dann – ein ganz anderes musikalisches Feld ansprechend – Professor Hermann Rau, der als Kirchenmusiker die Kilianskirche zu einem Mittelpunkt musikalischen Schaffens werden ließ, sich Aufgaben stellend, die weit über den Kirchenraum hinauswirken. Wo anders als bei ihm und bei seinem »Vokalensemble« hätte man sich – um ein Beispiel aus dem Jahre 1990 aufzugreifen – eine Aufführung der 87 verschiedenen Vertonungen von Goethes »Heidenröslein« denken können; eine Weltpremiere, für die ein japanischer Wissenschaftler mit Akribie und Fleiß die Grundlage geschaffen hatte. Diese drei Männer haben im kulturellen Leben der Stadt Spuren gezeichnet, die sich nicht verwischen lassen. Drei weitere Namen seien hinzugefügt; Namen von Chorleitern und Komponisten, die die musikalische Szene der Nachkriegszeit entscheidend beeinflußten: Professor Fritz Werner, Dr. Ernst Müller und Robert Edler. Sie haben in die Breite gewirkt und doch stets den Weg zum Besonderen, zum Herausragenden gesucht. Ihr Œuvre, so verschieden es im Detail auch sein mag, bleibt für Chöre und Orchester von Wert und Bedeutung.

Doch was wären diese Musiker von Rang ohne ihre Basis? Ohne die rund 90 Musik- und Gesangvereine. Unterschiedlich zwar in Niveau und Zielsetzung, aber doch einig in dem Streben durch die Musik Freude und kulturelle Werte zu vermitteln. Die Basis bilden aber auch 1 600 begeisterte junge Schüler in einer Jugendmusikschule, die mehr als nur elementaren Unterricht bietet, die versucht, Musik zum Erlebnis werden zu lassen.

Sie haben Tradition, die Heilbronner Sänger. Hier besteht der älteste Weingärtnerchor Deutschlands, der Männergesangverein »Urbanus«. Und hier ist der im Jahre 1818 gegründete »Singkranz« heute noch stolz darauf, der viertälteste deutsche Gesangverein zu sein. Kein Wunder, daß es in Heilbronn bereits vor 150 Jahren das erste Sängerfest mit über 1 200 Sängern gegeben hat. Diese Tradition verpflichtet; sie wirkt aber auch nach – bis in die heutige Zeit.

Und auf eine Kostbarkeit besonderer Art sei noch hingewiesen: Auf den »Heilbronner Musikschatz«. Diese Sammlung von weltlichem und geistlichem Liedgut sowie von Instrumentalmusik aus dem 16. und 17. Jahrhundert ist von unschätzbarem Wert – allein ein rundes Dutzend Unikate macht dies deutlich. Der gesamte Bestand enthält über 2 000 Werktitel von mehr als 200 europäischen Komponisten, zusammengefaßt in 120 Bänden. Dieser Musikschatz, im Stadtarchiv wohl verwahrt, für Fachleute aber stets zugänglich, ist zugleich ein hervorragendes Beispiel für die Musikkultur und das musikalische Leben in der einstigen Reichsstadt Heilbronn. Mit diesem Notenmaterial musizierten die Knabenchöre des Gymnasiums, die Organisten der Kilianskirche und die Stadtpfeifer, wie die städtischen Instrumentalisten damals genannt wurden.

Ein »Kulturzentrum der Region«:
Das Theater am Berliner Platz

Doch wenn von »kultureller Tradition« in Heilbronn die Rede ist, dann richtet sich der Blick nicht nur auf die Musik, sondern zugleich auch auf das Theater. Es gibt Zeugnisse aus dem 16. Jahrhundert von den Zünften und ihren Theatergruppen, der »Wilden Rotte« und den »Bösen Buben«. (Welch herrliche Namen; wer greift sie heute wieder auf?). Es wird von kirchlichen Mysterienspielen berichtet und von Tragödien und Komödien, die die Lateinschüler aufführten. Man weiß aber auch von wandernden Schauspieltruppen, die im 17. und 18. Jahrhundert in eigens errichteten »Komödienhäusern« gastierten. Und der Weg führt – getragen von beispielhaftem bürgerschaftlichem Engagement – schließlich im 19. Jahrhundert zum »Aktientheater«, zum ständigen Theaterbetrieb.

Mit dem Jugendstil-Theater am Nordende der Heilbronner »Allee«, vom Münchener Architekten Theodor Fischer in den Jahren 1912/13 erbaut, begann die Glanzzeit des Heilbronner Theaters. Es wurde zu einer in ganz Deutschland bekannten »Sprungbrett-Bühne«. Kluge Intendanten und hervorragende Schauspieler verliehen ihm Format. Einige Namen aus dieser Zeit die später an anderen Wirkungsstätten zu Ruhm kommen sollten: Liesel Christ, Willy Reichert und Wilhelm Dieterle.

Am 4. Dezember 1944, dem Tag der Zerstörung von Heilbronn, fiel auch dieses Haus dem Krieg zum Opfer. Der Vorhang war gefallen. Die Lichter gingen aus.

Die Nachkriegszeit brachte dann ein langes Interregnum in Behelfssälen und unter mißlichen äußeren Verhältnissen. Die Debatten ums Theater wurden zum »Theater« an sich. Erst mit der festlichen Premiere im attraktiven Neubau am Berliner Platz – am 16. November 1982 mit dem Erfolgsmusical »My fair Lady«, und nicht etwa mit Goethes »Faust« oder Kleists »Käthchen« – erwachte in Heilbronn wieder die alte Theaterleidenschaft, entdeckten die Heilbronner erneut ihre Liebe zu den Musen, Thalia allen voran.

Klaus Wagner und Jürgen Frahm, ein leidenschaftlicher Intendant und ein kluger Verwaltungsdirektor, haben hier die künstlerischen und organisatorischen Voraussetzungen geschaffen und es hervorragend verstanden, das neue Haus mit Leben zu erfüllen, es in die Stadt zu integrieren. Wobei das erste Kompliment sicher den Berliner Theaterarchitekten Biste/Gerling zu gelten hat, die einen Entwurf des bereits 1971 verstorbenen Planers, Professor Graubner, zu einem schmukken Haus reifen ließen. Für runde 70 Millionen Mark haben die Heilbronner ein Theater erhalten, das hohen Ansprüchen gerecht wird; ein Haus mit gediegener Ausstattung, einem herrlichen Foyer, mit modernster Technik und allen Möglichkeiten einer variablen Bespielung. Die über 700 Plätze im Großen Haus und die 120 im Kammertheater bleiben kaum einmal unbesetzt. An Karten und an Mietplätze zu kommen, ist nicht ganz einfach. 13000 Abonnenten in 20 verschiedenen Mieten sorgen für einen soliden Besucherstamm. Das böse Wort von der »Kulturwüste« wird somit Jahr für Jahr allein von den 200000 Theaterbesuchern ad absurdum geführt.

13000 Abonnenten! – In welcher Stadt mit knapp über 100000 Einwohnern gibt es das? Wenn auch, dies sei zugegeben, nur etwa die Hälfte dieser Stammgäste in Heilbronn wohnt; 57 Prozent hingegen kommen aus der näheren und auch weiteren Umgebung in das »Kulturzentrum der Region«. Und noch etwas ist bemerkenswert: Mit seinem Einspielergebnis liegt das Heilbronner Theater an der Spitze sämtlicher kommunaler Bühnen in Städten mit über 100000 Einwohnern im Bundesgebiet. Und dies bei durchaus moderaten Eintrittspreisen. Aber dennoch: Im Haushaltsplan der Stadt steht – neben einem Landeszuschuß von rund 4,5 Millionen Mark – Jahr für Jahr ein Zuschußbetrag verzeichnet, der sich zwischen zehn und zwölf Millionen Mark bewegt.

Das junge, vielseitige Schauspiel-Ensemble widmet sich voll Begeisterung auch dem Musical. Dabei nutzt es die Gunst der Stunde (und der guten Beziehungen) und reist zu Gastspielen in alle Welt. Da wird »Evita« in Warschau gegeben, die »West Side Story« in Lodz und das Musical »Piaf« – mit einer überzeugenden Madeleine Lienhard in der Hauptrolle – im Moskauer Màlyi-Theater.

Doch der »Duft der weiten Theaterwelt« weht auch nach Heilbronn. Die Staatsoper Lodz und die Leipziger Oper mit dem Gewandhausorchester, das Leningrader Ballett und die Batsheva Dance Company aus Tel Aviv, Künstler aus den USA und aus Frankreich, sie alle beleben einen Spielplan der, getreu dem Motto des Intendanten »Vielfalt und Überraschung«, ohnehin nicht an Einfallslosigkeit und Langeweile leidet. Mit seinen Erstaufführungen und Problemstücken eckt er natürlich auch bei dem einen oder anderen Besucher an: dem einen »zu konventionell«, dem anderen »zu modern« – wie könnten 200000 Besucher im Jahr auch stets einer Meinung sein.

Die Stätten der Schönen Künste

Auch bei den Städtischen Museen zeigt sich Aufbruchstimmung und dies im doppelten Sinne. Der »Deutschhof«, das »kulturelle Herz« der Stadt, wie er etwas vollmundig genannt wird, ist fertiggestellt. Es war ein recht zähes, langwieriges Ringen, dem Bau des Theaters in etwa vergleichbar. Doch Kulturbauten werden in einer Stadt wie Heilbronn nicht im Eiltempo hochgezogen. Da wird geplant und verworfen, bedacht und umgeplant, beraten und beschlossen – und irgendwann dann auch gebaut. Die Aufbruchstimmung ist aber auch grundsätzlich und konzeptionell zu sehen. Lange Jahre war Heilbronn keine Künstler-Adresse, blieben die – anerkennenswerten – Bemühungen auf private und ehrenamtliche Aktivitäten beschränkt. Ende der siebziger Jahre begann dann der junge Museumsdirektor Dr. Andreas Pfeiffer Furore zu machen. Er sah sein Haus nicht als verklärten Musentempel, sondern als weit geöffnete Begegnungsstätte. Er scheute nicht die Konfrontation, bemühte sich aber zugleich um kunstpädagogische Fragen und um eine zielstrebige Öffentlichkeitsarbeit bis hin zu einer ganzen Serie mit Sorgfalt gestalteter Kataloge. Den verdutzten Heilbronnern präsentierte er – als künstlerische Komponente zur Landesgartenschau des Jahres 1985 – eine Skulpturenallee, die zum Tagesgespräch wurde, zum Widerspruch reizte. Sein Werk fand lebhafte Resonanz, auch über Heilbronn hinaus. Die modernen Plastiken in den Fußgängerzonen bedeuten heute nicht mehr ausschließlich »Stein des Anstoßes«, sie geben Anlaß zur Diskussion: Befremden, ja harsche Ablehnung hier – suchendes Verständnis dort.

Neben der Kunstsammlung, der Städtischen Galerie mit einer international angelegten »Bozzetto«-Sammlung, gibt es mehrere Museums-Schwerpunkte. Im Naturhistorischen Museum zum Beispiel die in der ganzen Fachwelt anerkannte Trias-Sammlung des mit Heilbronn eng verbundenen Forschers Dr. Otto Linck; bei der Stadt- und Industriegeschichte hingegen die Ausstellungen zu den Heilbronn-spezifischen Themen »Neckarschiffahrt« und »Weinbau«. Daneben wenden sich Kunstverein und Künstlerbund, private Galerien und von Firmen gesponserte Ausstellungen an jene Kunstfreunde, die ein Herz und einen Blick für zeitgenössische künstlerische Aussagen besitzen.

Der Deutschhof indessen, einstmals (katholischer) Pfahl im (protestantischen) Fleisch der Reichsstadt, eine vor rund 750 Jahren gegründete Deutschordens-Kommende und zugleich ein Stück Stadtgeschichte im Herzen von Heilbronn, ist nicht nur »Museums-Insel«. In ihm haben Stadtarchiv und Stadtbücherei, Volkshochschule und Teile der Musikschule der Stadt ihr

Domizil. Dem Stadtarchiv zum Beispiel wurde schon vor über 200 Jahren bescheinigt, es sei »ein vortrefflich eingerichtetes Archiv, das man nicht leicht in einer Reichsstadt so gut geordnet und auch verwahret finden wird.« Aus der Fülle des hier »Verwahrten« nur ein Beispiel: Eine im 16. Jahrhundert gegründete Ratsbibliothek mit wertvollen Handschriften und Drucken, unter ihnen 300 wunderschöne Inkunabeln, also Frühdrucke seit der Erfindung des Buchdrucks bis zum Jahre 1500. Hier liegen Schätze im Tresor – der »Heilbronner Musikschatz« wurde bereits genannt – die die Bedeutung einer ehemaligen Freien Reichsstadt veranschaulichen und bis in die Gegenwart hineinwirken.

Nicht im Tresor, sondern in reich gefüllten Regalen stellt die Stadtbücherei ihre Bestände vor, rund eine Viertelmillion »Medieneinheiten«, wie der offizielle bibliothekarische Begriff (den Literaturfreund mag das Wort schaudern) lautet. Also ein breites Angebot von Büchern und Zeitschriften, Noten und Schallplatten, Spielen und Musikcassetten. Über eine halbe Million wird davon Jahr für Jahr unentgeltlich ausgeliehen. Kulturarbeit mit Breitenwirkung! Rund ein Drittel der erwachsenen Leser kommt aus dem Heilbronner Umland.

Bildung und alternative Kultur

Nicht nur dem Umland geöffnet hat sich die Fachhochschule Heilbronn. Ihr Einzugsgebiet geht – zumindest in einigen Studiengängen – weit darüber hinaus, erfaßt das gesamte Bundesgebiet. »Heilbronn als Hochschulstadt« ist dennoch kein allzu heißes Thema. Zu wenig integriert sind die über 3000 Studenten im Heilbronner Kultur- und Gesellschaftsleben, zu gering andererseits das Interesse der Bevölkerung an ihrer Fachhochschule. Vielleicht mit ein Grund für diese Situation ist die Lage am Rande der Stadt, im Stadtteil Sontheim. Das Areal als »Campus« zu bezeichnen, wäre gewiß übertrieben. Hier ist noch keine Tradition gewachsen; hier bleibt noch vieles offen.

Begonnen hatte es Anfang der sechziger Jahre mit der Einrichtung einer Ingenieurschule, die zehn Jahre später zur Fachhochschule avancierte. Sie bietet inzwischen eine breite Palette von Fachbereichen, wobei die technischen und betriebswirtschaftlichen Studiengänge dominieren. Zwei Besonderheiten verdienen hervorgehoben zu werden: Zum einen der im Jahre 1972 im Zusammenwirken mit der Universität Heidelberg geschaffene Studiengang »Medizinische Informatik«, der bis heute im gesamten Bundesgebiet einmalig ist und viel Interesse findet. Zum anderen der Fachbereich »Weinwirtschaft«, der in Zusammenarbeit mit der staatlichen »Weinbauschule« in Weinsberg aufgebaut wird.

Wie die Hochschulrepräsentanten jedoch voll Stolz feststellen, gibt es keine andere Fachhochschule, die ein solch breites Spektrum von Studienmöglichkeiten anbietet wie gerade Heilbronn. Darauf beruhen Hoffnung und Entwicklungschancen. Hinzu kommt, daß die jungen Ingenieure und Betriebswirte nach Abschluß ihres Studiums beim Berufseinstieg keine Probleme haben. Ihnen bieten sich zukunftssichere, aussichtsreiche und gut dotierte Arbeitsplätze. Sie sind gefragt. Die Kehrseite der Medaille: Begehrt sind in Heilbronn auch die Studienplätze, denn für fast alle Fachbereiche besteht ein strenger Numerus Clausus. Kein Wunder, daß der Ruf nach Erweiterung der Hochschule immer lauter wird.

Ständig wachsender Raummangel und Aufnahmebeschränkungen in einigen Sparten bereiten der zweiten Heilbronner »Hochschule«, der Volkshochschule, Sorgen. Sie hat ihr einstiges, thematisch relativ eng begrenztes Weiterbildungsangebot längst gesprengt und ist zu einer zentralen Kultureinrichtung geworden. Da stehen neben den breit ausgebauten Sprachkursen jetzt Jugend- und Seniorenprogramme, werden aktuelle Fragen von Politik, Umwelt und Pädagogik aufgegriffen, geht es um Gesundheitsbildung und Betriebswirtschaft, um Frauenfragen und Literatur, um bildende Kunst und Elektronik, um mit wenigen Stichworten die ganze Spannbreite des Programms anzudeuten. Und die Besucherzahlen wachsen und wachsen. Sechsstellige Zahlen finden sich in der Statistik. Bei den halbjährlichen Einschreibterminen stellen die »Warteschlangen« der Interessenten selbst die dramatischen Anstürme bei einem Sommerschlußverkauf in den Schatten.

Die Heilbronner Volkshochschule, ein eingetragener Verein, der von der Stadt bezuschußt wird, platzt aus allen Nähten. Optimisten hoffen auf einen Neubau noch vor dem Jahre 2000; doch diese haben in solchen Fragen in Heilbronn noch selten recht behalten. Immerhin ist die Heilbronner Einrichtung die drittgrößte im ganzen Land nach Stuttgart und Mannheim, und liegt noch vor den Volkshochschulen in weit größeren Städten. Sie zählt zweifellos mit zu jenen kulturellen Kräften, die das öffentliche Leben entscheidend mitbeeinflussen. Doch auch in Heilbronn entsteht abseits des etablierten Bildungsangebotes bisher Ungewohntes: »Alternative Kultur« fordern die Jungen, die Progressiven, die andere Kulturinhalte als die zuvor hier aufgezeigten suchen. Ein ganz prägnantes Beispiel der letzten Jahre: Die »Kulturtage«. Engagierte Idealisten bieten auf dem »Gaffenberg«, hoch über der Stadt, ein internationales Kulturprogramm mit Kabarett und Chanson, Jazz und Folklore, Tanz und Theater für Zehntausende. Es sind Abende und Nächte voll Schwung und Atmosphäre, Stunden, die vor allem der Jugend gehören. Doch die »Kulturtage-Macher« um den begeisterungsfähigen Lehrer und Stadtrat Harry Mergel wagen sich auch in die Heilbronner Innenstadt. In den einstmals ehrwürdigen Deutschhofräumen arrangierten sie eine Kunstausstellung mit den provozierenden Arbeiten des österreichischen Graphikers und Cartoonisten Manfred Deix, begleitet von einem nicht minder aggressiven Kleinkunst-Programm. Über 50 000 Besucher strömten herbei: Entrüstung und Ablehnung contra Begeisterung und Jubel. »Kultur für alle« posaunten die einen – »After-Kunst« empörten sich die anderen. Für bundesweite Resonanz war gesorgt – auch ohne gewichtige städtische Zuschüsse.

Der Kulturdezernent, als städtischer Beamter nicht unbedingt ein Revolutionär, sieht in der privaten Kulturarbeit besondere Chancen zur Entwicklung neuer Ideen, zum Experiment, zu alternativen Formen. Und er sagt wörtlich: »Die ›alternative Kultur‹ steht nicht konträr, sondern komplementär zum schon formalisierten Kulturbetrieb, ohne daß alles, was sich als Kunst darstellt, den Anspruch erheben darf subventioniert zu werden. Denn dadurch würde es in den formalen Kulturbetrieb integriert, und es bestünde die Gefahr, auf diesem Wege steril zu werden.«

Der Zustrom beim Sport hält sich in Grenzen

Ob man nun den Sport, der sicher auch zu den »alternativen Bewegungen« zu zählen ist, auch zur Kultur rechnen darf, darüber sind die Meinungen geteilt. Die einen sehen hier noch das Ideal der Antike, die anderen nur den rohen Kampf und die mediengerechte Vermarktung. Für die Heilbronner bedeutet das Wort »Sporterlebnis« heute fast ausschließlich nur noch »Fernseherlebnis«, und zwar in Ermangelung lokaler Veranstaltungen, die wenigstens provinzielles Niveau überragen. Damit ist schon viel gesagt.

Es gab einst Schlagerspiele – und wenn von »Schlagerspielen« die Rede ist, dann kann nur »König Fußball« gemeint sein – zwischen dem VfR Heilbronn und der Union Böckingen. Zwei traditionsreiche Vereine, ein Begriff in der süddeutschen Fußballgeschichte. Sie spielen heute viertklassig. Es gab Turner und Fechter, Schwimmer und Leichtathleten, Ruderer und Eishockey-Cracks, die begeisterten. Doch der Jubel ist verhallt. Allenfalls bei Tischtennis und Frauen-Handball finden sich noch ein paar Schlagzeilen. Der Zustrom indes hält sich in Grenzen.

Eine Attraktion waren einst die Heilbronner Rollkunstläufer. Sie brachten Welt- und Europameister ebenso hervor, wie Deutsche Meister in Serie. Allein der sprunggewaltige Karl-Heinz Losch gewann fünfmal den Welttitel, seine Medaillen und Pokale füllen Regale. Heute sitzt der älter gewordene Architekt als Stadtrat im Heilbronner Rathaus, ein kundiger Sprecher des Sports und der Jugend. Doch die Weltmeister-Zeiten sind vorbei.

Dabei wären die Voraussetzungen für sportliche Höhenflüge in Heilbronn durchaus gegeben. Allein 80 Sportvereine und ein rundes Dutzend Sportgruppen bieten vielfache Möglichkeiten. Etwa jeder vierte Heilbronner ist Mitglied in einem Sportverein. In den Bau von Sportplätzen, Turnhallen und Schwimmbädern wurden in den letzten Jahrzehnten mehr als 140 Millionen Mark investiert. Über 40 Turn- und Sporthallen sowie eine Vielzahl gut ausgebauter sonstiger Sportanlagen bilden die Basis für eine solide Breitenarbeit. An städtischer Unterstützung, auch durch gezielte finanzielle Förderungsprogramme, und an Hilfen von Mäzenen fehlt es nicht.

Selbst das schöne 13 Millionen Mark teure »Franken-Stadion«, das im Jahre 1988 fertiggestellt wurde und für 17 000 Besucher Platz bietet, dämmert, von wenigen herausragenden Veranstaltungen abgesehen, ohne Flutlicht still vor sich hin. Eine »teuere Fehlinvestition« sagen die einen – »hätten wir doch eine moderne Großveranstaltungs-Halle gebaut«, jammern die anderen. »Heilbronn und der Sport«, dies ist kein Thema, dem derzeit die Superlative gelten. Es ist vielmehr biedere Hausmannskost, brave Breiten- und Jugendarbeit. Doch, die Frage sei abschließend erlaubt, ist dies eigentlich so schlimm?

Die Stadt hat sich ihr eigenes Gesicht bewahrt

Muß denn eine Stadt stets mit Superlativen prunken? Mit sportlichen, kulturellen, baulichen Höhenflügen? Genügt nicht auch das Angenehme, Liebenswerte, Schöne, Herzliche? So, wie sich heute zum Beispiel die Heilbronner Innenstadt darstellt. Gewiß ist der Turm des Ulmer Münsters 100 Meter höher als der Turm der Heilbronner Kilianskirche. Gibt es deshalb einen Grund, diesen geringer zu achten? Ein Blick auf das Heilbronner Stadtbild mag zeigen, daß sich die Stadt ihr eigenes Gesicht bewahrt hat, auch wenn sie es nach all der Kriegszerstörungen einst schon verloren glaubte. Was den Wiederaufbau der Heilbronner Innenstadt in der Nachkriegszeit prägte, war der Versuch, wenigstens einige der herausragenden baulichen Zeugen der Stadtgeschichte historisch getreu nachzuempfinden, sie damit zu »erhalten«.

Und so spiegeln heute Rathaus und Kilianskirche, Deutschhof und Käthchenhaus, Hafenmarktturm und Nikolaikirche, um die Wichtigsten zu nennen, die alte Stadt.

Dieses einstige Territorium der Freien Reichsstadt, auf engstem Raum am Neckar gelegen, umfaßt eine Fläche von etwa 750 auf 400 Metern, gerade 30 Hektar. Hier spielte sich über Jahrhunderte hinweg – bis zum Ende der Reichsstadt-Zeit im Jahre 1802 – die gesamte Stadtentwicklung ab. Und dieser Kern ist bis heute Stadtzentrum geblieben.

Die »Einkaufsstadt der kurzen Wege« lautete vor Jahren, als die Motorisierung noch nicht die Einkaufszentren auf der »Grünen Wiese« sprießen ließ, ein Werbeslogan des Heilbronner Einzelhandels. Und diese »kurzen Wege« gelten auch für die kunsthistorischen Stätten in Heilbronn. Absoluter Mittelpunkt der Stadt: Der Marktplatz. Ihn säumen zwei Bauwerke von Rang. Das Rathaus und die Kilianskirche als Symbole der weltlichen und der kirchlichen Macht. Aber auch das Käthchenhaus, Wahrzeichen des legendenumwobenen und literarisch-historischen Heilbronn.

Das Heilbronner Rathaus – in mehreren Bauphasen von der frühen Gotik bis zur Renaissance entstanden – wirkt schon in seiner ganzen behäbigen Gestalt als ein Sinnbild für Bürgerstolz und Macht, für das Selbstbewußtsein der ehemaligen Reichsstadt. Hervorstechend ist die astronomische Kunstuhr von Isaak Habrecht aus dem Jahre 1580. Theodor Heuss, den mehr als nur seine Jugendzeit und die ersten beruflichen Erfolge mit seiner Vaterstadt Heilbronn verbunden haben, charakterisierte dieses Rathaus und den Marktplatz einst mit den Worten: »Deutschland hat ein paar Rathäuser von großartigerem Charakter oder geistreicherer Erfindung, aber das, was ein stattliches Haus des Rates sei, im Raumverhältnis zum Versammlungsort der Bürgerschaft, das ist wohl nirgends so eben und klar, groß und doch im Wechsel der Masse so reizvoll ausgedrückt wie hier.«

Dem Rathaus gegenüber, jenseits der Kaiserstraße, liegt die Kilianskirche mit ihrem eigenwilligen Hauptturm aus der Zeit der Reformation. Mit seinen skurrilen Skulpturen stellt er ein eigenwilliges Stück Zeitgeschichte dar, ein Bauwerk voll bizarrer, kühner Ornamentik. Ein zeitgenössischer Chronist nannte ihn »einen Bösewicht bis an den Himmel«. Was mögen die Heilbronner damals gedacht haben? Was hat wohl der Baumeister Hans Schweiner, dieser mutige Mann, alles zu hören bekommen? Die »Figürliche Plastik«, in Heilbronn heute einer der Museums-Schwerpunkte, hat hier ihren Ursprung.

Theodor Heuss, um den ersten Bundespräsidenten nochmals zu zitieren, nannte den Kiliansturm einst einen »Novellenkranz aus Stein, kühn, stolz und lustig«. Und er fuhr fort: »Ganz oben steht das »Männle«, ein Landsknecht, ein Stadtdiener mit der Wappenfahne, wahrhaftig so bärbeißig, wie kein Heiliger aussehen dürfte. Symbol der Zeit: Das Kirchliche geht in das Stadtbürgerliche ein.«

Der so filigran wirkende Hochaltar von Hans Seyfer, im Innern der Kilianskirche, gilt als ein Meisterwerk spätgotischer Plastik und Altarkunst. Teile von ihm hatten das Inferno des Krieges wohl verwahrt in tiefen Salzschächten heil überstanden. Der Rest, ein Opfer des Feuersturmes, wurde originalgetreu nachgeschnitzt.

Doch blicken wir von diesem herrlichen Hallenchor mit seinem prächtigen Doppelstern-Gewölbe aus noch kurz hinüber zur anderen Hauptkirche der Stadt, zum Deutschordensmünster St. Peter und Paul. Hier befindet sich in der Taufkapelle, dem einstigen Turmchor, das älteste sakrale Denkmal der Stadt, ein romanischer Altartisch aus der Zeit um 1250. Er wird gekrönt von der »Heilbronner Madonna«, einer Marienstatue um 1450, die auf geheimnisvolle Weise den Krieg überlebte und als Findling an Allerheiligen des Jahres 1978 hier Aufstellung fand.

Kann eine Stadt mit solchen baulichen Zeugen, eine Stadt ohne Kultur, eine »Kulturwüste« sein? Bedeutet das Wort »Tradition« denn nicht mehr als nur Vergangenheit – ist Tradition nicht auch gelebte Gegenwart?

Blickt man in Heilbronn auf Rathaus, Kilianskirche und Deutschordenshof, aber auch auf Theater, Musikprogramm und Kunstausstellungen, auf Volkshochschul-Initiativen und alternative »Kulturtage«, dann bleibt nur eine Antwort: Diese Stadt hat Kultur!

Und wer immer bereit und offen dafür ist, dem wird hier auch kulturelles Leben begegnen!

Dorothea Braun-Ribbat,
Leiterin der Volkshochschule

Gaffenbergkinder

Heilbronner Senioren

Otto Haag, Wengerter

Eleonore Weinmann-Adorno,
Protagonistin der Amsel-Kontaktgruppe

Birgit und Andreas Erz von der Jugendmusikschule

Susanne Wittler, Esther Francksen,
Schauspielerinnen am Stadttheater

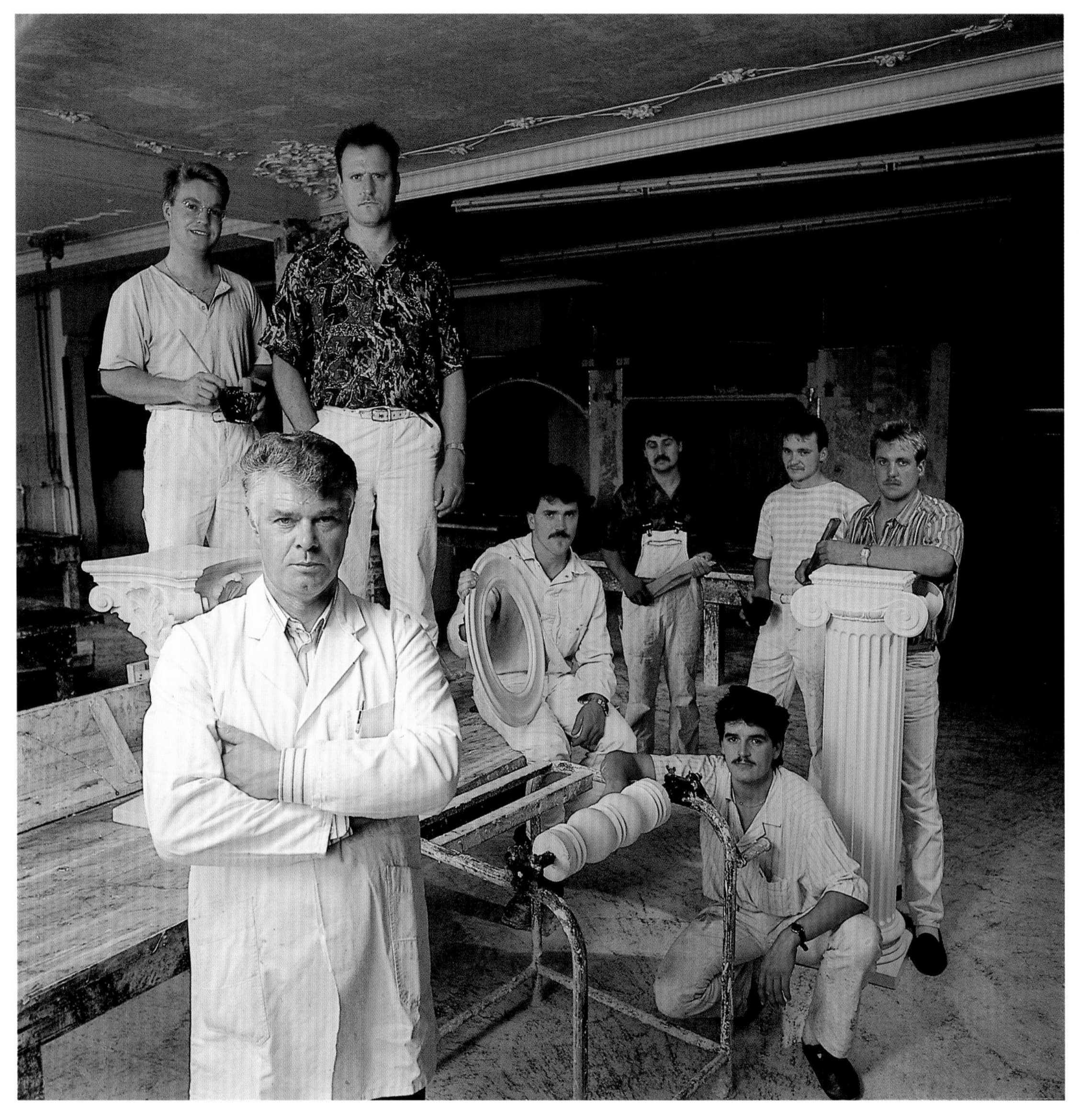

Lehrer und Schüler der Stukkateurfachschule

Wolfram Viktor,
Tuschierer im Werkzeugbau

Das Käthchen von Heilbronn

Prof. Jörg Färber,
Leiter des Württembergischen Kammerorchesters
Heilbronn

Mitglieder der »Turngemeinde Heilbronn von 1845«

Städtische Feuerwehr

Gerhard Mayer,
leitender Direktor im Kohlekraftwerk

Adolf Heinrich,
Wengerter und Besenwirt

Helmut Wertsch, Tabakbauer

Petra Kunz, Fließbandarbeiterin

Studenten der Fachhochschule Heilbronn

Wengerter Chor »Urbanus«

Gerhard Zehender,
Selbständiger im Textileinzelhandel

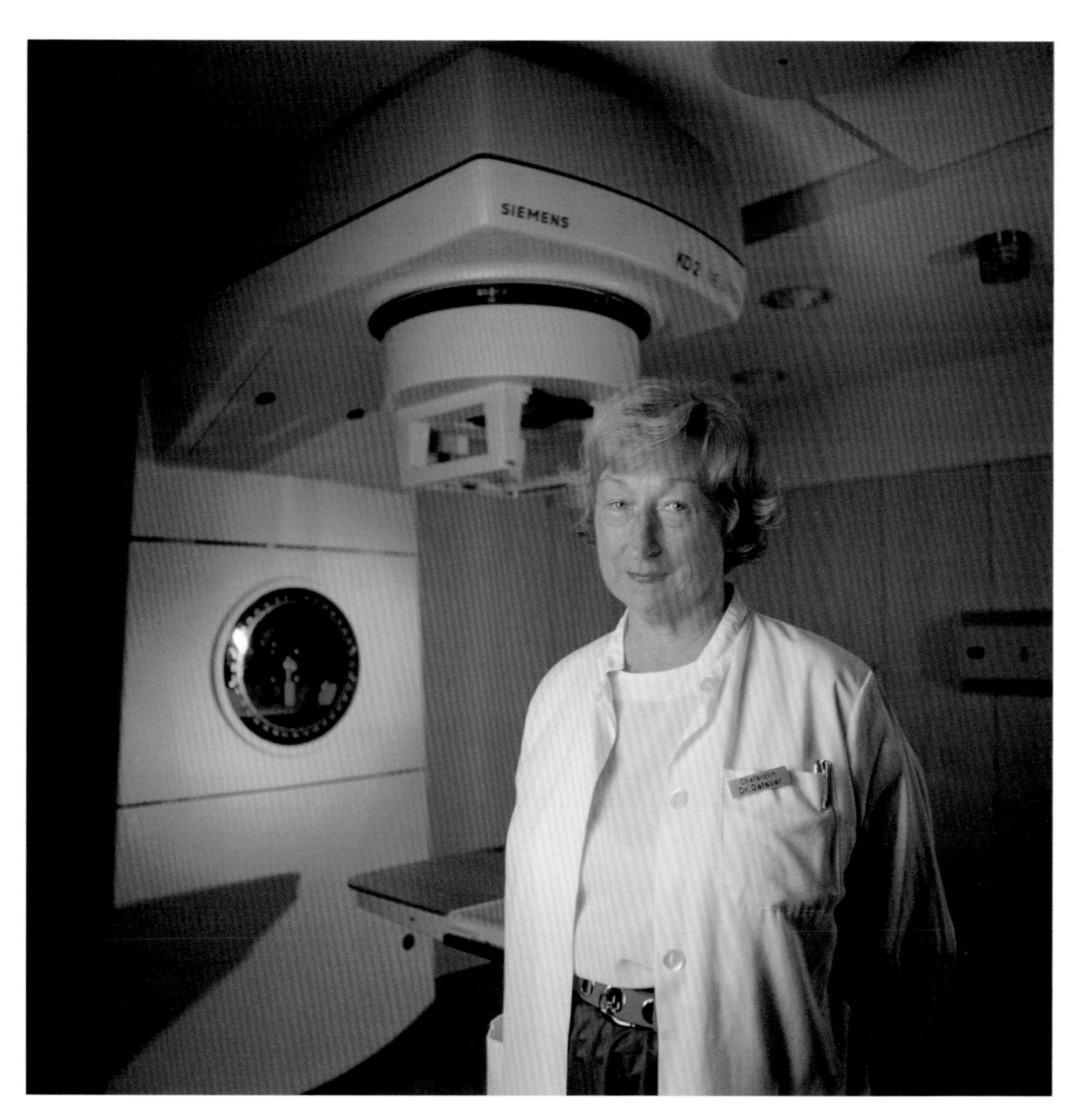

Dr. Doris Gefeller,
Chefärztin der Klinik für Strahlentherapie

Karl Zogelmeier,
Hauer im Salzbergwerk

Walter Sperlich,
Lagerarbeiter im Hafen

Prof. Hermann Rau,
Kirchenmusikdirektor

Catharina Casse,
Rundfunkmoderatorin

Harry Mergel,
Leiter und Initiator der Kulturtage

Helga Drautz,
ehem. Baden-Württembergische und
Deutsche Weinkönigin

Eva-Maria Hege,
Gemeindeschwester

Dr. Karl Frühsorger,
Vorsitzender des Kulturrings Heilbronn
und Ehrenringträger der Stadt

Emil Burock,
Facharbeiter in der Ziehstempelfertigung

Elfriede Ensslen,
Diplomingenieurin

Renate Butschalowski mit Tochter,
alleinerziehende Mutter

Menschen in ihrer Stadt

von Werner Kieser

Von Handelsleuten, Handwerkern und Weinbauern

Seit der Mitte des 19. Jahrhunderts vollzog sich in Heilbronn ein entscheidender Wandel. Die »Freie Reichsstadt«, die ja Handels-, Handwerker- und auch Weinbauernstadt war, wurde mehr und mehr zur Industriestadt – wenn auch zaghaft zunächst. Ein Blick vom Wartberg zeigt die enge Verzahnung von durchgrünten Wohngebieten und industriellen Arbeitsstätten.

Heilbronn spielte bereits im Mittelalter eine bedeutende Rolle als Wirtschafts- und Handelszentrum. Die Reichsstädter waren wohlhabende Handelsleute in ihrer mauerumwehrten Stadt am Neckar mit Markt, Münzstätte und Hafen. Gestützt auf ein Privileg von Kaiser Ludwig dem Bayern von 1333, daß »die Burger den Nekher sollen wenden und kehren, wohin sie dunket, dass es der Stete allernutzlich sey«, kehrten sie damals den Neckarlauf so um, daß er an den Mauern der Stadt entlang floß und dadurch kontrollierbar war. Erst beinahe 500 Jahr später, beim Durchstich des Wilhelmskanals, 1821, wurde der Neckar dann wieder in sein »altes« Bett zurückgelenkt.

Jahrhunderte lang genossen die Heilbronner das sogenannte Stapelrecht, wodurch alle hier ankommenden Schiffsleute gezwungen waren, umzuladen und ihre Güter zunächst einmal den Heilbronnern öffentlich feilzubieten. Der Rest durfte dann weiterverkauft werden.

Dieses Stapelmonopol am Ende der damaligen Neckarschiffahrt, Heilbronn wurde dadurch Zentralpunkt für das gesamte Speditionswesen Süddeutschlands, hatte auch eminente politische Bedeutung für den Stadt-Staat Heilbronn gegenüber den mittelalterlichen Territorialstaaten Kurmainz, Kurpfalz, Baden und Württemberg. Heilbronner Handelsbeziehungen reichten schon im 15. und 16. Jahrhundert nach Köln, Mainz, Frankfurt, Worms, Nürnberg, Augsburg, um nur einmal die wichtigsten Handelspartner im Mittelalter zu nennen. Und noch weiter zogen die Handelsleute vom Neckar: nach England, in die Hanse-Staaten, in die Niederlande, Frankreich, Ober-Italien und in die Balkanländer. Bis in unsere Tage ist der Neckar Lebensader für Heilbronn geblieben – trotz der Neckarkanalausweitung bis Stuttgart/Plochingen, trotz mancher Rückschläge durch den Eisenbahn- und Autobahnbau.

Der modern ausgebaute Hafen liegt heute, mit einem Umschlag von 5,61 Millionen Tonnen pro Jahr, an fünfter Stelle aller bundesdeutschen Häfen. Ein seit 1935 gültiges »Heilbronner System« ist vorbildlich geworden, die Stadt hat für Organisation, Ordnung und Betreuung der Hafenanlagen zu sorgen – die einzelnen Firmen mieten, bauen, betreiben.

Man bedenke: 1841 ankerte das erste Dampfschiff in Heilbronn, von 1878 an hangelte sich das erste Kettenschleppschiff, der »Neckaresel«, an einer 115 Kilometer langen, schmiedeeisernen Kette, die auf der Flußsohle verlegt war, flußaufwärts, und 1935 wurde dann die Großschiffahrtsstraße Mannheim–Heilbronn eröffnet. 112 Kilometer Kanal, 11 Staustufen und Schleusen sorgen für reibungslosen Güterverkehr, und auch die Fahrgastschiffe der »Weißen Neckarflotte« bedienen sich dieser Flußbauten!

Nun aber noch einmal zurück in die Anfänge der Heilbronner Industrie. Der gestaute Neckar war Voraussetzung für den Bau von Mühlen – seit dem Mittelalter wurden zahlreiche Ölmühlen (für Raps, Mohn und Flachs) betrieben, Sägemühlen auch, dann Hammerwerke, Schleif- und Gipsmühlen. Geradezu ein Paradebeispiel für diese frühindustrielle Entwicklung ist die Firma Rauch: 1762 Gründung als Handelshaus, 1786 Verarbeitung von Farbholz und Tabak und Ölmühle, 1821 Papiermühle. 1842 schaffen für Rauch schon 180 Arbeiter und noch einmal soviele Lumpensammler, weil ja Lumpen Grundstoff für die Papierherstellung sind!

Das »Hamburg des deutschen Südwestens« nannte man lange Zeit Heilbronn am Schnittpunkt der Handelswege mit einer bedeutsamen Verteilerfunktion. Nur 6000 Einwohner hatte die Stadt Anfang des 19. Jahrhunderts. Mitte des 19. Jahrhunderts stieg dann die Bevölkerungszahl auf 38000. 60 Betriebe zählen über 9000 Beschäftigte beim Übergang von der Handarbeit zur maschinenorientierten Tätigkeit. Allerdings, eine Fabrik mit 50 Arbeitern galt noch Mitte des 19. Jahrhunderts als Großbetrieb. Aber was wurde da nicht alles produziert. Ein paar Beispiele: die Firma Friedrich Michael Münzing betrieb die Soda-Seife-Stearinkerzen-Produktion und ging dann zur

Herstellung von Schwefelsäure über; Friedrich Rund fabrizierte Essig, Branntwein und Farben, 1807 entstand die weltberühmte Silberwarenfabrik Peter Bruckmann; Rauch und Schaeuffelen stellten Papier her, Brauereien und Tabakfabriken brachten ihre Ware in den Verkehr. Eine »Cichorien-Kaffee-Fabrik« zu errichten beabsichtigte C. H. Knorr im Oktober 1838, nannte sich dann »Agent von Landesprodukten« (worunter auch Dörrobst und Flachs zu verstehen waren) und machte kaum 30 Jahre später die von einem Berliner Koch entwickelte Erbswurst weltberühmt, die schon im 1870er Krieg die deutsche Armee kräftigte. In der ersten Hälfte des 20. Jahrhunderts wuchsen Umfang und Produktionspalette von Knorr-Schwerpunkten Suppentafeln, Suppenwürfeln, Haferflocken. Unter Beibehaltung des Firmennamens fusionierte die Firma Knorr 1959 mit der Deutschen Maizena, und 1988, 150 Jahre nach der Gründung, ist das Heilbronner Werk Europas modernste Suppenfabrik mit dem größten Forschungs- und Entwicklungsinstitut der deutschen Nahrungsmittelindustrie. Wer weiß schon, daß bei Knorr in Heilbronn 100 Chefköche, Küchenmeister, Lebensmitteltechnologen und Ernährungswissenschaftler in 25 Jahren 7000 neue Rezepte erdacht und erkocht haben?

Auch in der Metallindustrie vollzog sich die Entwicklung vom Handwerksbetrieb zur relativ kleinen Fabrik, und gerade diese frühzeitige Spezialisierung auf Nicht-Massenwaren hat dann ja das Vordringen von Heilbronner Betrieben auch auf ausländische Märkte ermöglicht.

Über 18000 Erwerbstätige wurden 1882 in Heilbronn gezählt, aber immer noch waren 32 Prozent in der Landwirtschaft, 23 Prozent im Handwerk und »nur« 17 Prozent in der Industrie beschäftigt. So seltsam das klingt – erst zwischen den beiden Weltkriegen übernahm die Industrie die Führungsposition innerhalb der Wirtschaftszweige. Der aus Heilbronn stammende Nationalökonom Gustav von Schmoller preist in einer seiner Schriften den »schwäbischen Fleiß, die stille Ausdauer und bedeutende geistige Begabung« der die industrielle Entwicklung jener Jahre tragenden Heilbronner Bürger.

Auch in unseren Tagen gehört das Salz zu den lebenswichtigen Mineralien. Im Mittelalter mußten die Heilbronner Handelsleute sogar ihren Wein vom Wartberg gegen bayerisches Salz tauschen. Salz kam auch aus den Salinen im benachbarten Rappenau, und die Haller Sieder lieferten ihre Endprodukte aus den großen Siederpfannen schon im 16. Jahrhundert nach Heilbronn. Bergmännisch abgebautes Salz holte man im Umland Heilbronns, in Jagstfeld und Kochendorf, allerdings erst seit 1825 aus dem Boden. Salz ist ein sogenanntes »bergfreies Mineral«, das dem, der als erster fündig wird, zufällt, und so stürzten sich denn auch viele »Interessenten« auf ein von den Geologen unter Heilbronn vermutetes Salzvorkommen. Eine Art Goldgräberfieber muß im Jahre 1882 Salzsucher aus aller Herren Länder erfaßt haben, die durch das »weiße Gold« Reichtum erwarteten.

Am 14. August 1882, ein historisches Datum für Heilbronns Industriegeschichte, ging die Stadt mit nur wenigen Stunden Vorsprung aus diesem »Wettbohren« als Sieger hervor. Der gewonnene Zeitvorsprung reichte gerade aus, der Stadt bei der Regierung in Stuttgart das Abbaurecht zu sichern, und 1885, am 4. Dezember, dem Barbaratag der Bergleute, konnte zum erstenmal Salz auf Heilbronner Gemarkung gefördert werden.

Heute verläuft unter den Stadtgebieten von Heilbronn und Bad Friedrichshall, in 170–210 Meter Tiefe, ein Netz von 15 Meter breiten, 15–20 Meter hohen und 200 Meter langen Abbau-Kammern, gestützt durch 14 Meter breite Gebirgspfeiler aus Steinsalz, insgesamt 200 Kilometer unterirdische Gänge und Kammern. Mit verschiedenen Techniken wird abgebaut, die Bewohner der darüberliegenden Häuser hören nicht nur die Sprengung, die Erde bebt zuweilen. Die bereits unter Tage zerkleinerten Salzbrocken werden durch die beiden Schächte »Franken« und »Heilbronn« über Tage geführt.

Nach der Aufbereitung wird ein Großteil der Salzmenge gleich im Salzhafen »gelöscht«: an die zwei Millionen Tonnen pro Jahr werden im Talverkehr verschifft, davon 70 Prozent für die chemische Industrie. Immerhin erbringen die beiden Steinsalzwerke Bad Friedrichshall und Heilbronn mit einer Jahresförderung zwischen 2,5 und 3 Millionen Tonnen fast ein Drittel der deutschen Steinsalzproduktion.

In den riesigen Stollen der beiden Salzbergwerke wurden während des Zweiten Weltkriegs wertvolle Gegenstände eingelagert und dadurch vor Bomben geschützt. Schätze der Staats- und Universitätsbibliotheken, Gemäldesammlungen, die berühmten Glasfenster des Straßburger Münsters, die Stuppacher Madonna, das Schädelstück des homo heidelbergensis und die Heiligenfiguren der Kilianskirche, um nur einige zu nennen. Wenn nicht wagemutige Salzwerker in den letzten Kriegswochen das Absaufen der Schächte – um Bad Friedrichshall und Heilbronn tobten heftige Kämpfe – verhindert hätten, wäre wertvollstes europäisches Kulturgut verloren gegangen.

Der pesst Neckarwein wechst zu Haylprun

»Wie manch andere Stadt haben auch die Heilbronner einen Hausberg: den Wartberg. 309 Meter über dem Meer, 152 Meter über dem Marktplatz der Stadt. Dichtermund pries ihn einst als »der Berge König« und Christian Friedrich Daniel Schubart, Musik- und Theaterdirektor am Stuttgarter Hof lobte den Blick vom turmbekrönten Hügel auf die Stadt Heilbronn gar als den »herrlichsten Ausblick von ganz Deutschland«. Die Heiterkeit und Lieblichkeit dieses Weinlandes haben schon viele besungen, so auch kein Geringerer als Friedrich Hölderlin: »Seliges Land. Kein Hügel in Dir wächst ohne den Weinstock...«.

Seit Jahrhunderten wird um Heilbronn Wein kultiviert – gesichert sind Hinweise aus der Römerzeit, und auch Karl der Große ermahnte seine Untertanen: »...daß Ihr mir auch den Klävner anbaut!...«, eine Rebsorte übrigens, die seit über 1 200 Jahren auch hierzulande noch eine kleine, aber feine Rolle spielt. Gehegt und gepflegt wie eh und je von den Weingärtnern, den Wengertern, den »Heine«, (ein liebevoller Spottname) die zum »Stand« gehören, dem selbstbewußten und einflußreichen Weingärtnerstand gegenüber den Handels- und Kaufleuten. Heute sitzen im Heilbronner Gemeinderat gerade noch zwei Wengerter – ein Herr und eine Dame. Sie, eine hübsche und standesbewußte Wengerterstochter, hat vor einigen Jahren sogar als Deutsche Weinkönigin fungiert.

Ursprünglich lagen die Weingärten in den fruchtbaren Talauen des Neckarflusses, zwischen üppigen Gemüse- und Getreidefeldern und fruchtstrotzenden Obstgärten, dann aber dehnte sich der Weinbau von Jahr zu Jahr weiter auf die Berghänge aus, denn eine Württembergische Landesordnung verlangte: »Wo ein Pflug kann gehen, soll kein Weinstock stehen«, und so trägt der Wartberg heute nur eine Laubwaldkappe, die aber doch wieder Schutz bietet für die Edelgewächse an den Hängen darunter. Da wuchsen und wachsen Kerner, Gutedel, Riesling, Traminer, Muskateller, später auch Ruländer, Silvaner, Trollinger und Lemberger – bunt durcheinander gepflanzt.

Heilbronner Gewächse gehörten lange Zeit zu den Exportschlagern: »Der pesst Neckarwein wechst zu Haylprun« vermerkte der Hofkaplan Kaiser Maximilians I zu Beginn des 16. Jahrhunderts. Auf einer bedeutenden Wein- und Handelsstraße zogen die Kaufleute, die sogenannten Pfeffersäcke, mit ihren Ochsenkarren von Heilbronn aus über Hall nach Nürnberg und weiter in die Hansestädte. Bis nach Frankreich führten die Handelswege, ins Rheinland, und in die Niederlande.

Währenddes erlebte der Weinbau eine Blütezeit in dieser Stadt, eine städtische Steuer, die Weinbet bildete eine ihrer Haupteinnahmequellen. An den Toren der Stadt wurden die zu den 170 (!) Keltern einfahrenden Erntewagen gezählt, ihr Inhalt nach Quantität, Qualität und Preis in sogenannten Weinbüchlein genau festgehalten. Viel mehr als heute zog der Weinbau eine ganze Reihe einzelner Gewerbe und Berufe mit sich: die Weinläder, Küfer, Kübler, Eicher und Fuhrleute, die Weinzieher, Wagner, Schmiede, die Weinhändler und natürlich auch die Wirte. Jedes 7. Wohnhaus ist eine Wirtschaft, in keinem Ort wird so viel Wein verzehrt, heißt es in einer Oberamtsbeschreibung von 1865. Im Jahre 1989 hingegen registrierten die Stadtbehörden 550 Gaststätten der verschiedensten Arten, darunter rund 20 Besenwirtschaften – um die Jahrhundertwende waren es noch 130.

Besen- anderswo auch Hecken- oder Straußwirtschaften benannt, bieten in improvisierten Schankräumen für kurze Zeit im Jahr eigenerzeugte Weine und einen einfachen Imbiß. Hier, wo sich zu den festgesetzten Zeiten das Zechervolk auf den Holzbänken nur so drängt, wird natürlich auch auf engstem Raum manch gutes Gespräch geführt.

Eine Besonderheit in Heilbronn sind die sechs stadteigenen, verpachteten Gastronomiebetriebe: Ratskeller, Harmonie, Jägerhaus, Bürgerhaus Böckingen, Schießhaus (ein Rokokojuwel im Herzen der Stadt) und Wartberg.

Wobei man nun wieder beim Wartberg und dem Wartbergturm angelangt wäre, von dem man auch heute noch nicht genau weiß, wann und wie er auf dem westlichsten Ausläufer der Löwensteiner Berge entstand. Bis zum Zweiten Weltkrieg trug der Turm übrigens oben einen beweglichen Korb – den sogenannten Knopf –, ein Signalzeichen, das an einer Stange hochgezogen werden konnte und bestimmte Informationen vermittelte. So zeigte einst der Turmwächter mit dem Knopf das Nahen feindlicher Reitersleute an. Aber auch die Wengerter wurden informiert: »von 11 bis 12 Uhr wirdt der Knopf auch herab gelassen, damit die Weingarts Leuth sich mit dem Essen wissen darnach zu richten...«.

Die Gastronomie auf dem Wartberg hat schon seit der Mitte des 18. Jahrhunderts Tradition – seither ist der Wartberggipfel ein beliebter Ort für Feste und Feiern.

Genießer meinen, der beste Heilbronner Trollinger wachse am Wartberg, er habe »ein rauchiges G'schmäckle«. Der Berg schenkt Wein Jahr für Jahr aufs Neue. In den letzten Jahren – gottlob – immer mit recht guten Ernten.

Vollherbste sagen die Fachleute.

Rund 95 Prozent der Häuser von Heilbronner Weingärtnern sind am 4. Dezember 1944 zerstört worden, die Hälfte des »Standes« kam im Bombenhagel ums Leben. Inzwischen ist eine große Zahl von Weinbaubetrieben in die Außenbereiche der Stadt ausgesiedelt, seit 1972 haben sich die Weingärtner aus Heilbronn, Erlenbach und Weinsberg zu einer gemeinsamen Genossenschaft zusammengeschlossen. In der größten Gebietsvollkellerei der Bundesrepublik mit einem Fassungsvermögen von über 12 Millionen Litern reifen die Produkte ihrer harten Arbeit, entstanden in ihrer »Werkstatt im Freien« während eines 14–16 Stunden-Tages in den Sommermonaten. Auch wenn die Rebflächen nahezu vollständig flurbereinigt sind und die knochenharte und auch lohnintensive Arbeit der Weingärtner dadurch wesentlich erleichtert wurde: ein gutes Stück Weinberg-Romantik ist dabei verloren gegangen – zum Leidwesen auch der Naturschützer!

Übrigens, fast niemand weiß mehr, daß in die eng eingeschnittenen uralten »Hohlen« (= Hohlwege) des Wartbergs über 450000 Kubikmeter Trümmerschutt aus der bombenzerstörten Innenstadt eingebracht worden sind!

Einige Zahlen: Die Genossenschaftskellerei Heilbronn-Erlenbach-Weinsberg mit ihren 600 Mitgliedern konnte 1989 einen überdurchschnittlichen Jahrgang in guter Qualität mit immerhin 9,5 Millionen Liter in ihre Tanks füllen – gegenüber 1988 mit rund 6 Millionen Liter. In den schmucken Gebäuden der Kellerei lagerten Ende 1989 über 12 Millionen Liter Wein, davon 32 Prozent Trollinger und 28 Prozent Riesling. Im Jahresbericht an die »Genossen« wird es als »erfreulich« bezeichnet, daß das Rot-/Weißwein-Verhältnis insgesamt 52 Prozent Rot zu 48 Prozent Weiß betrug. 25 Prozent der Käufer sind Endverbraucher, die ihren »Wartberg«, »Stiftsberg« und »Stahlbühl« zu moderaten Preisen zu genießen wissen.

Bei einer Schilderung des Weinbaus in Heilbronn darf allerdings eines nicht vergessen werden: Die der Genossenschaftskellerei abliefernden Weingärtner bilden zwar die große Mehrheit aller Weinbaubetriebe, wesentlich, auch in der Qualität; mischen die sogenannten Selbstvermarkter mit. Sie bauen ihre Ernte in eigenen Keltern und Kellern, oft nur mit Hilfe der Familienmitglieder, aus. In der Genossenschaft und auch bei den »Privaten« sind allerdings die alten Holzfässer verschwunden und riesigen, modernen, blitzenden Edelstahltanks gewichen.

Die Heilbronner »Selbstvermarkter« und »Genossenschaftler« beziehen fachliche Anregung und Weisung für ihre Arbeit aus dem benachbarten Weinsberg, wo zu Füßen der Weibertreu nicht nur das Kernerhaus seine Gäste anzog und anzieht. Wenige Meter davon befindet sich die »Staatliche Lehr- und Versuchsanstalt für Wein- und Obstbau«, kurz Weinbauschule genannt, die älteste Bildungsstätte ihrer Art in Deutschland.

Viele junge Weingärtner absolvieren an der Weinbauschule Weinsberg ihre Ausbildung im Kollegenkreis aus aller Welt. Aus Südafrika, Südamerika, sogar Japan kommen sie, aus französischen, italienischen, österreichischen Weinregionen und selbstverständlich auch aus allen Weinanbaugebieten Deutschlands.

Auf 55 Hektar der Versuchsbetriebe der »Anstalt«, wozu auch eine eigene Kreuzungszüchtungs-Abteilung in Lauffen am Neckar gehört, entwickelt man in unendlicher Geduld neue Rebsorten. Mindestens drei davon sind jetzt fest im Wein-Repertoire – der Kerner (Mutter Trollinger, Vater Riesling), der Helfensteiner (Mutter Trollinger, Vater Clevner) und der Dornfelder (Mutter Heroldrebe, Vater Helfensteiner).

Alte und neue Sorten sind köstliche Gottesgaben, die man natürlich feiern muß. Bis ins 19. Jahrhundert hinein war das »Herbsten« (also Weinlese und Weinfest) das wichtigste Ereignis im Jahresablauf der Weinbaustadt Heilbronn, wobei in einem solch fruchtbaren Land natürlich nicht nur die Weinbauern sich ums tägliche Brot (Wein ist ja flüssige Nahrung) kümmerten.

Entlang des Neckars wurden und werden Früchte aller Art angebaut. Tausende von Obstbäumen bringen Erntesegen. Der 1200 Hektar große Stadtwald ist zugleich grüne Lunge und Wirtschaftsgut, und vom Wartberg aus besonders gut zu sehen. Die gleißenden Glasflächen der Gärtnereien, unter denen sich reifende Tomaten, Zucchini, Kohlrabi und viel anderes »Gemüse« verbergen. Sie liefern ihre »Landesprodukte« für Großmärkte und Stadtmärkte, aber auch den Kleinbedarf für die Anwohner und für die wohl wichtigsten Abnehmer, die in und um Heilbronn angesiedelte Nahrungsmittelindustrie. In Horkheim drüben, der Stadt Heilbronn seit einigen Jahren »einverleibt«, betreibt man den Tabak-Anbau in großem Umfang.

Lebendiges Wirtschaftszentrum

Am Heilbronner Hafen – also auch am Neckar entlang – zieht sich im Norden der Stadt eine Industriezone, die vorausschauende Stadtväter schon 1921 hochwasserfrei angelegt und systematisch mit Unternehmen aller Art besetzt haben. Sie ist vier Kilometer lang, einen Kilometer breit und nahtlos angebunden an das Industriegebiet der Nachbarstadt Neckarsulm. Eine äußerst günstige Position an Fluß und Hafen, am Knotenpunkt von sechs Eisenbahnlinien und an einem Autobahnschnittpunkt. Aber seit geraumer Zeit ist es dort recht eng geworden, haben viele Unternehmen bereits ihre Produktionsstätten in den Landkreis Heilbronn und darüber hinaus verlagert. Im Zehnjahresvergleich 1970 zu 1980 ist die Zahl der Industriebeschäftigten in der Region Franken um 19 Prozent gewachsen, im Stadtkreis Heilbronn um 19 Prozent zurückgegangen.

Zwingend war also die Suche nach neuen Industrieflächen. Die »Böllinger Höfe« nordwestlich von Neckargartach, unmittelbar an der Autobahn Heilbronn–Mannheim, boten sich an. 40 Hektar wurden Ende der 70er Jahre als erste Ausbaustufe erschlossen, die zunächst zögerlich, aber dann doch auch von auswärtigen Firmen voll angenommen wurden; ab 1991 zum Beispiel nimmt die Stuttgarter Firma Leitz ein riesiges zentrales Hochregallager in Betrieb. Weitere 60 Hektar sind im Flächennutzungsplan ausgewiesen. Über 50 Firmen bieten jetzt schon an die 2 000 Arbeitsplätze.

Es gibt kaum einen Standpunkt im Stadtgebiet von Heilbronn, von dem aus man die beiden Schornsteine und den Kühlturm des Steinkohlekraftwerks der EVS nicht sehen kann. »Energie« spielte hier nicht erst eine Rolle seit Heilbronns größter Sohn Robert Mayer, der durch die Entdeckung des Gesetzes von der Erhaltung der Energie zu einem der Väter der modernen Naturwissenschaften wurde. Schon 1842 gab es in Heilbronn erstmals bis zur Mitternachtsstunde beleuchtete Straßen, und fünf Jahrzehnte später, 1892, wurde Heilbronn, das damals 30 000 Einwohner zählte, als erste Stadt der Welt über eine Fernleitung vom Elektrizitätswerk Lauffen aus mit Drehstrom versorgt. Und beinahe 90 Jahre später entstand das neue Kraftwerk, das die Silhouette der Stadt verändert hat und riesige Strommengen verfügbar macht. Die 250 Meter hohen Schornsteine überragen den Wartberg um rund 100 Meter. Die außerordentlich hohen Baukosten von über 1,4 Milliarden Mark sind zu einem erheblichen Teil auf umweltschonende Maßnahmen zurückzuführen. Die Emissionen des Kraftwerks sind voll entschwefelt und voll entstickt.

Zunächst nur von den Fachleuten beachtet, hat die Stadt Heilbronn – wirtschaftlich gesehen – ihr Gesicht gewandelt. Noch vor einigen Jahren galt sie als Industriestadt, heute arbeiten über 60 Prozent aller Beschäftigten im Handel und im Dienstleistungsbereich, die Zahl der Industriebeschäftigten ist rückläufig. Die Industrie- und Handelskammer spricht von einer »guten Konjunktur«, die Stadtverwaltung kassierte 1990 runde 125 Millionen DM Gewerbesteuer – gegenüber 70 Millionen vor zehn Jahren. »Ausweisung neuer Gewerbeflächen« und »Verbesserung der Infrastruktur«, das sind die Richt- und Angelpunkte für die kommenden Jahre. Und da denkt man vor allem an eine Reaktivierung alter Industrieflächen besonders im Norden der Stadt und auch an Existenzgründungen von technologisch innovativen Dienstleistungsunternehmen, nicht zuletzt auch an die Bewältigung des wachsenden Verkehrsaufkommens, denn 40 000 Pendler strömen täglich in die Stadt, die ohne Zweifel zu einem eigenständigen Wirtschaftsraum zwischen den Ballungsgebieten Stuttgart und Heidelberg/Mannheim/Ludwigshafen geworden ist. Allerdings haben sich Stadt- und Landkreis Heilbronn gerade in den letzten Jahren ungleich entwickelt, besonders was die Industrieumsätze anbelangt. Diese erreichen im Landkreis bereits das Zweieinhalbfache, die Exporterlöse gar das Vierfache der städtischen Ergebnisse, wozu zwei Neckarsulmer Großbetriebe Audi und Kolbenschmidt entscheidend beitragen.

Experten weisen immer wieder auf die breite Branchenstreuung der Heilbronner Industrie hin. Die metallverarbeitenden Betriebe dominieren zwar noch, aber dann folgt gleich die Elektrotechnik, die Ernährungsindustrie, der Fahrzeugbau, der Stahl- und Leichtmetallbau und die Papierverarbeitung.

Ein großes Werk der Südmilch AG produziert stündlich 140 000 Becher Joghurt und Pudding; eine Heilbronner Firma, die Kaco-Werke, mit Zweigwerken weltweit, stellt Dichtungsringe für alle Industriezweige her, und am Fuße des Wartbergs nicht zu übersehen ist die Firma Läpple, im siebten Jahrzehnt Werkzeugbauer für die blechverarbeitende Industrie, besonders für die Automobilbranche. Eine Aufzählung, die natürlich bei weitem nicht vollständig ist.

1989 erreichten die 109 Industriebetriebe von Heilbronn einen Umsatz von 3,4 Milliarden Mark, wurden aber von 330 Großhandelsbetrieben mit 3,9 Milliarden deutlich übertroffen. Der Vertriebsbereich des Großhandels reicht natürlich weit über die Region Franken hinaus – zwei Beispiele: Besonders in Süddeutschland strömen die Kunden zu den Läden einer der größten deutschen Handelsketten und Heilbronn ist auch Sitz des größten Einkaufs- und Marketing-Verbunds des Sportfachhandels in der Bundesrepublik. Die 1 000 Heilbronner Einzelhandelsfirmen mit rund 50 Prozent Käufern von »auswärts«, kommen auf 1,2 Milliarden Umsatz. Und nicht zu vergessen: Heilbronn hat die größte Handwerker-Dichte in ganz Baden-Württemberg, von 1 000 Einwohnern sind 114 im Handwerk tätig gegenüber einem Landesdurchschnitt von 74! – Hinweis auch auf eine gesunde, mittelständisch geprägte Struktur.

Getrost kann die Heilbronner Wirtschaft auf das Europa 1992 hinsteuern, ein »Mehr an Wettbewerb« ist schon seit Jahren eingeplant.

Landschaftsbilder einer Stadt

Historische Stationen den Flußlauf entlang
Nur bei ganz besonderen, also seltenen Wetterlagen kann man vom Wartberg hoch über Heilbronn auch den fernen Katzenbuckel im Odenwald sehen, der Volksmund nennt ihn »monte miau«, mit 625 Metern die höchste Erhebung des Odenwaldes. Aber so weit entfernen sich die Heilbronner Ausflügler nur selten von ihrem »Städtle« – nun, es gibt ja auch ringsum genug zu erforschen und zu beschauen – und man kann sogar Heilbronner Geschichte dabei studieren!

Deutschordensgeschichte zum Beispiel, denn mitten im Stadtzentrum des protestantischen Heilbronn lebte und wirkte im »Deutschhof« eine höchst aktive Filiation des katholischen Deutschen Ordens. Auch Neckarsulm, katholisch geblieben, war Sitz des Deutschen Ordens. In dem stattlichen Gebäudekomplex des Ordens ist heutzutage das Deutsche Zweiradmuseum untergebracht. Zweiräder, mit und ohne Motor, wurden ja schon im vorigen Jahrhundert in der Stadt am Zusammenfluß von Neckar und Sulm gebaut. Ein paar Kilometer neckarabwärts liegt das Deutschordensschloß Horneck über der Stadt Gundelsheim. Dort genießen die Senioren der Siebenbürger Landsmannschaft ihren Lebensabend, und für Geschichtsinteressierte ist im Schloß ein Siebenbürger-Museum zu besichtigen. Schließlich wäre ein Bogen auch noch nach Bad Mergentheim, dem weltberühmten Heilbad an der Tauber zu schlagen. Jahrhunderte hindurch, bis 1809, waren Schloß und Stadt Sitz der Hoch- und Deutschmeister des Deutschen Ordens.

Auf den Spuren Götz von Berlichingens
Ja und der Götz von Berlichingen, laut Mark Twain »der großartige deutsche Robin Hood«, der saß in Heilbronn fast drei Jahre seines Kämpferlebens in »ritterlicher Haft«, von 1519 bis 1521. Aber nicht im heutigen »Götzenturm«, sondern zuerst eine Nacht an Pfingsten 1519 im Bollwerksturm, dem »kugellyten Turm«, und die übrige Zeit recht gemütlich und komfortabel mit Eheweib und Kindern in einem der vielen Heilbronner Wirtshäuser.

Die Götzen-Burgen sind von Heilbronn aus leicht zu erreichen: z. B. in Jagsthausen, wo der edle Ritter geboren wurde und wo man alljährlich des Herrn Geheimrat Goethes »Götz von Berlichingen« im Burghof spielt. Spitzenschauspielern deutscher Zunge gereicht es zur Ehre, in Jagsthausen den Götz gespielt zu haben. Am Neckar dann die Burg Hornberg mit dem unverkennbaren in den Himmel ragenden Bergfried. Hier verlebte der Ritter mit der eisernen Hand seinen Lebensabend, diktierte dem Hauskaplan seine Memoiren und starb den Strohtod. Beigesetzt ist er im benachbarten Kloster Schöntal. Und auch Möckmühl darf man nicht vergessen auf der Spurensuche nach Gottfried von Berlichingen – dort residierte er als Amtmann – und auch das schmucke, burggekrönte Krautheim nimmt den Götz für sich in Anspruch. Dort soll er das berühmte Zitat »sag er ihm, er soll mich...« lauthals verkündet haben.

Auf den Straßen der Geschichte bewegt sich der Ausflügler im Umland von Heilbronn ja unentwegt. Bei einer Fahrt nach Bad Wimpfen zum Beispiel, der einstigen Kaiserpfalz mit ihrer unvergleichlichen Silhouette. Kasimir Edschmids enthusiastisches Urteil über diese Stadt: »Wimpfen ist, neben anderem, der Süden! Ist Heidelberg die glänzendste Repräsentantin des Neckars, so ist Wimpfen seine innigste.«

Aber auch Wimpfen im Tal sei nicht vergessen: die ehemalige Stiftskirche St. Peter, heute Benediktinerkloster, ist eines der bedeutendsten Werke der deutschen Hochgotik.

In Sichtweite von Wimpfen am Berg die Burg Guttenberg, zu der die Scharen wandern, um vor allem die spannenden Greifvogelvorführungen zu sehen – solche Vorführungen bietet übrigens auch die Falknerei in Beilstein im mittleren Bottwartal. Und eine weitere Attraktion: die der Öffentlichkeit zugänglichen Schachteinfahrten ins Salzbergwerk Bad Friedrichshall.

Eine Straße der Geschichte auch die Burgenstraße, die, übrigens sehr gut beschildert, auf ihrem über dreihundert Kilometer langen Verlauf von Mannheim nach Nürnberg an nahezu fünfzig Burgen und Schlössern vorbeiführt. Vom Odenwald durchs Neckartal, ins Hohenlohische und bis ins bayerische Frankenland nach Nürnberg. Der Ausflügler passiert Städte wie Heidelberg, Eberbach, Bad Wimpfen, Neuenstein, Waldenburg, Schwäbisch Hall und Rothenburg ob der Tauber. Und noch eins: es gibt keine Region in

Deutschland, die mit sovielen, meist ausgezeichneten Museen »bestückt« ist.

Streifzüge durch den Löwensteiner Wald

Und wie steht's mit Weinsberg, der Stadt der treuen Weiber, die einst Huckepack ihre Liebsten aus dem Belagerungsring trugen? Justinus Kerner, der Arzt und Dichter lebte viele Jahre dort (auch ein guter Freund der Stadt Heilbronn, die er in seinen Versen oft besang). Im Weinsberger Kernerhaus traf sich die damalige deutsche Geisteselite zu fröhlichem und weinseligen Stelldichein. Und von der »Weibertreu«, der Ruine hoch über Weinsberg, gehen Blick und Weg dann hinauf in die Löwensteiner Berge. Am Breitenauer See vorbei, einem 40 Hektar großen Rückhaltebecken für die Wasser der Sulm, die vor wenigen Jahren noch zu Zeiten der Schneeschmelze zur Gefahr für die Industriezone an Neckar und Sulm wurde. Heute tummeln sich am zweitgrößten See Baden-Württembergs Schwimmer, Surfer, Camper und Angler. Kurvenreich die Straße, die sich nach Löwenstein hinaufwindet, wo man bei einem Besuch des Friedhofs die Gräber von Kerners berühmter Patientin Friederike Hauffe, der »Seherin von Prevorst« und des baltischen Tierbuchautors Manfred Kyber nebeneinander sehen kann. Wieder nur wenige Kilometer entfernt, in Cleversulzbach, wo Mörike bekanntlich als Pfarrer lebte, liegt der Friedhof mit den Gräbern der Dichtermütter Schiller und Mörike.

Streifzüge durch den Löwensteiner Wald gehören zum Wochenendrepertoire der Heilbronner, und von dort ist es ja nur noch ein Sprung nach Schwäbisch Hall, der Stadt mit dem unvergleichlichen Marktplatz, wo sich im Sommer alljährlich auf der Treppe zu Sankt Michael die Mimen und Zuschauer beim »Jedermann«, bei Shakespeare oder gar bei der »Mutter Courage« treffen. Und nicht vergessen sei ein Besuch im Freilandmuseum Wackershofen, einem Museumsdorf mit aktivem Programm inmitten alter, aus dem ganzen Bereich Nordwürttemberg dorthin versetzter Bauern- und Bürgerhäuser, Armenhäuser, Keltern, Lagerhäuser, einem Bahnhof und einer Kirche.

Szenenwechsel – ein Ausflug ins Zabergäu mit Stromberg und Heuchelberg steht an. Über Lauffen könnte die Route führen, ein Städtchen, das immerhin einen Hölderlin hervorgebracht hat und wo, unweit vom Zusammenfluß von Zaber und Neckar in einer Kirche der Sarkophag der Regiswindis aufbewahrt wird. Die Karolingerprinzessin und Urenkelin Karls des Großen wurde von ihrer Amme erdrosselt und in den Neckar versenkt, der Leichnam unversehrt wiedergefunden.

Lauffen ist ja auch Geburtsort Friedrich Hölderlins, der seine Heimat als »Seliges Land« pries und enthusiastisch schrieb: »Nieder in's schwellende Gras regnet im Herbste das Obst. Fröhlich baden im Strome den Fuß die glühenden Berge. Kränze von Zweigen und Moos kühlen ihr sonniges Haupt.« Literaturbeflissene, die Werk und Leben ihres Hölderlin näher kennenlernen wollen (oder auch das anderer deutscher Dichter), die sollten ihren Weg nach dem unweiten Marbach am Neckar nehmen, dem Geburtsort Schillers, wo hoch über dem Neckar-Fluß das Schiller-Nationalmuseum und das Deutsche Literatur-Archiv ragt – vorbildliche Schausammlung und Forschungsstätte zugleich.

Ein Paradies für Alpinisten sind die Hessigheimer Felsengärten und für andere lockt ein Stück weiter Trippsdrill, ein vielseitiges Unterhaltungs-Zentrum mit Altweibermühle und vielen anderen Attraktionen.

In den letzten Jahren haben die Wengerter, die Weingärtner, manchenorts auch Weinlehrpfade angelegt, unterhaltsame Kapitel »Vinologie«; und gar oft laden sie auch zur Weinprobe mitten in ihre Weinberge ein. Tische und Bänke sind aufgeschlagen und nach einem rustikalen Vesper schmecken die Proben vom Riesling, oder vom Trollinger oder vom Lemberger gar köstlich.

Schlösser, Burgen, Rats- und Bürgerhäuser locken den in Heilbronn gestarteten Besucher. Man muß sie nicht einmal suchen – meist wohlgepflegt und beschildert geben sie von ereignisreicher Vergangenheit ebenso Kunde wie von tätiger Gegenwart. Eine liebliche Landschaft bietet sich an, die man Schritt für Schritt genießen sollte. Und noch ein Tip zu allerletzt: »erfahren« kann man dieses Land mit dem Ausflugs-Schiff oder, wenn man die vielen Staustufen nicht scheut, mit dem Paddelboot. Und das idealste Fortbewegungsmittel im kleinen, aber feinen Ländle um Heilbronn sind immer noch Schusters-Rappen oder, wenn es schneller gehen soll, das Fahrrad!

Im Unterland

In the lowland

Danls le Bas Pays

Edle Tropfen

In the vineyards

Dans les vignobles

Die Stauferpfalz in Bad Wimpfen

The Staufer Fortress in Bad Wimpfen

La forteresse des Staufer à Bad Wimpfen

Spazierwege im Sulmtal

Foot-paths in the Sulm Valley

Chemins de promenade dans la vallée de la Sulm

Am Neckarufer

On the Neckar

Sur les bords du Neckar

Breitenauer See und Löwensteiner Berge

Lake Breitenau and the Löwenstein Hills

Le Lac de Breitenau et les montagnes de Löwenstein

Weinsberg mit seiner Stadtkirche

Weinsberg with parish church

Weinsberg et son église paroissiale

Ländliche Szenerie

Country scenes

Scènes champêtres

Burg Weibertreu

Weibertreu Fortress

Le château Weibertreu

Idyllisches Jagsthausen

Romantic Jagsthausen

Le village romantique de Jagsthausen

Fruchtreiche Täler

Bountiful valleys

Des vallées fertiles

Im Zabergäu

In the Zabergäu

Dans le Zabergäu

Guttenberg
Möckmühl
Schöntal

Hornberg
Maienfels
Horneck

Impressionen am Neckar

Neckar impressions

Impressions aux bords du Neckar

Abendstimmung im Unterland

In the evening lowland

Crépuscule dans le Bas Pays

Tempelhaus in Neckarelz

The House of the Knights Templar in Neckarelz

Une maison des Templiers à Neckarelz

Neckar bei Lauffen

The Neckar locks near Lauffen

Ecluse sur le Neckar dans les environs de Lauffen

Lauffen – alte Stadt am Neckar

Lauffen, an old town on the Neckar

Lauffen – ville ancienne sur les bords du Neckar

Heilbronn – a Brief Portrait

Wilfried Hartmann

"To a person with gold wanting to live a good, a beautiful life of leisure in Germany, I would suggest Heilbronn!" This praise of the city of Heilbronn was written by the Swabian poet Christian Daniel Schubart about 200 years ago. For not a few, it is still good advice today.

Johann Wolfgang von Goethe waxed similarly enthusiastic while celebrating his 48th birthday in Heilbronn; he wrote in his diary on August 28, 1797: "Everywhere one looks, the land is fertile; the vineyards are very close by, and the city itself is situated in a great green mass of gardens. Looking at it arouses a sensation of tranquil, expansive, satisfying pleasure."

Old Imperial Town – Young Large City

This short glance backward may be a confirmation for modern-day Heilbronn, but the city has undergone fundamental change. The former Free Imperial Town in the area bordering Franconia and Swabia midway down the Neckar, with its rich traditions, has developed into a modern city. Having advanced to the official status of "large city" on January 1, 1970, Heilbronn now has a population of about 115,000 and is an economic, cultural, and administrative centre for a large area. The significance of this centre of the region of Franconia in Northern Baden-Württemberg extends beyond the region.

Old Heilbronn, with its patricians' houses, narrow streets, and cozy corners, had been reduced to debris and ashes by a bombing raid on December 4, 1944. Heilbronn was a dead city, a deserted, lifeless field of rubble. But the postwar years were not a time of resignation, nor was the city moved to a new locale, as some modern city planners had envisioned it, but what happened instead was "the reconstruction miracle of Heilbronn," as it has sometimes been called in retrospect.

32,500 Dwellings – 35 Schools – 40 Gymnasiums

More than 32,500 dwellings have been built in Heilbronn since the war, 35 schools, 40 gymnasiums, 25 churches, and 50 kindergartens, not to mention hospitals and swimming pools, hotels and modern factories, department stores and machine and repair shops, and cultural centres and athletic facilities.

There are various reasons for the city's astonishing boom. First of all, it is ideally located at the intersection of important autobahns leading to Stuttgart/Munich and Mannheim/Frankfurt as well as Würzburg and Nuremberg. In addition, it has one of the most important inland ports, ranking fifth in (West) Germany with an annual freight tonnage of nearly six million metric tons; it is the largest port on the Neckar.

But the factor that in the final analysis made the difference in the economic strength of this city was the people, the industrious Franconian Swabians, to which were added the thousands of displaced persons who were not less eager to work. All of them put the advantages of the city's location to good use and were able to make the "reconstruction miracle" a reality.

An Economic Region in Its Own Right

Situated between the agglomeration areas of Stuttgart and Heidelberg/Mannheim, Heilbronn developed into an economic region in its own right in the post-war era. In 1896 – about 100 years ago – Heilbronn, with its 58 factories and 9,000 workers – was considered the largest industrial city in Württemberg. Today this image is changing. The totals for commerce have already topped those of industry by far. By now over 60 percent of the labour force is employed in commerce and the service industries. This is also where the major chances of growth lie.

And yet Heilbronn is still considered an industrial centre. A broad variety of industries – mainly the metal-working and electrical branches, followed by food and paper processing – as well as many middle-sized and small companies, provides a solid foundation. Behind these drab numbers are companies with world-wide reputations and high standing, companies which have great achievements in the development of technology to their credit and whose products are well known and in demand on the international market.

73,000 Employees – 40,000 Commuters

73,000 men and women find work in Heilbronn, 20,000 of them alone in the 110 industrial companies. Nearly 40,000 commuters pour into the city day after day, thus unconsciously underscoring its function as a regional centre. New business and industrial zones were developed, but even so many companies have left the city in the last years and decades. They took advantage of the favourable locational conditions in the environs, thus creating an unheard-of boom in the "county" (Landkreis) of Heilbronn, which surrounds the city in the form of a collar. From the perspective of the narrow borders of the community, this may be deplored; but this development has in any case been a boon to the economic region of greater Heilbronn as a whole.

"The shopping city with the short walks" was an advertising slogan of Heilbronn's retailers years ago, when motorization had not yet led to the sprouting of shopping malls on the "green meadows" of the environs. The slogan is still true today. In the city's centre there is a concentration of varied shopping possibilities, from the department store to exquisite single-line retailers. This is where the city's heart beats – not just its mercantile heart, but also that of its art history and culture.

The Guildhall and St. Kilian's Church – Buildings of Rank

Right in the middle of the city is the Market Square. It is lined by buildings of rank: the Guildhall and St. Kilian's Church, symbols of secular and ecclesiastical power, but also there is Käthchen's House, the landmark of the Heilbronn of legend and literary history.

The Heilbronn Guildhall, built in several phases, from the early Gothic period to the Renaissance, symbolizes just by its spacious shape burgher pride and power, the self-assurance of the former Imperial Town, its self-reliance and jurisdictional prerogative. Particularly impressive is the astronomical clock by Isaak Habrecht from the year 1580, a much-admired masterwork which was reconstructed after the original was destroyed in the war.

Opposite Guildhall is St. Kilian's Church with its unusual main tower from the period of the Reformation, crowned not by a cross or saint, but by a gruff town guardsman fondly referred to by the Heilbronners as the "Männle" ('the little man'). The tower, with its odd sculpture, is an original example of the history of the time, a building replete with bizarre, bold ornamentation. A contemporary chronicler called it "a villain stretching right up to heaven." What must the Heilbronners have thought of it, 450 years ago? What kind of remarks did the architect Hans Schweiner, this courageous man, have to listen to? The "figured sculpture," one of the main attractions of Heilbronn's museums today, takes its origin here.

Only a stone's throw away from this church, which has the so very delicate high altar by Hans Seyfer inside, is the Minster of the Teutonic League, the city's other main church. In the baptismal chapel of St. Peter and Paul is the city's oldest sacred monument, a Romanesque altar table from about 1250. On it is the "Heilbronn Madonna," an old statue of the Virgin Mary which mysteriously survived the war and was placed here on All Saints' Day of 1978.

At the Focal Point of History

The first known mentioning of a "villa Helibrunna" goes back to the year 741. But this region was settled millenia before that; for example, there was an agrarian culture of the late Stone Age here.

As a Free Imperial Town, Heilbronn was at the focal point of history for centuries at a time. Here a proud community developed, in which trade and the crafts flourished. In 1802, the splendour of the status of Imperial Town came to an end. Heilbronn became a regional administrative seat in Württemberg. But its attractiveness remained intact and even increased with the beginning of industrialization.

"Käthchen" and "Götz"

But Heilbronn has primarily gained renown worldwide thanks to the literary figure of the poet Heinrich von Kleist, "Käthchen of Heilbronn." Her fame remains undiminished to this day – as witnessed by the droves of Käthchens in every souvenir shop. And the "iron hand" of the knight Götz of Berlichingen can also be found there. Goethe erected a lasting monument to him in his youthful drama. The real Götz was once on close, amical terms with Heilbronn – despite the three and a half years of "chivalrous imprisonment" he spent here.

Heilbronn feels a particular attachment to two outstanding men: to Robert Mayer, the city's "greatest son," a naturalist and physician to whom science owes the "law of the conservation of energy," and Theodor Heuss, the first President of the Federal Republic of Germany, who took his secondary schooling here and wrote his doctoral thesis on "Viticulture and the Vintner Trade in Heilbronn" and served as editor-in-chief of the reputable newspaper "Neckar-

Zeitung." Up to his death, he maintained close private and official contacts with his native city.

Typical of Heilbronn: the "Viertele"
But it isn't just famous names, not just history, buildings, and economic strength that deserve mention. Much more attention – by natives and visitors alike – is devoted to Heilbronn's wine, the "Viertele" ('quarter litre'), as they say here. With 550 hectares of vineyards, Heilbronn is one of the large centres of viticulture in Germany. The harvest of a normal year yields over five million litres – predominantly from the hearty trollinger grape or the prickly white riesling.

It is the wine, too, that stimulates the Franconian Swabians, with whom newcomers usually soon find themselves on equal footing, to merry festivities. The most important is the "wine village around the Guildhall," to which hundreds of thousands throng every September – jolly, enthusiastic carousers, not only from Heilbronn, but by now almost "from throughout the world." Here, they take in Heilbronn's atmosphere and festive mood, an atmosphere that has nothing of the "urbane," but is rather typical of the small "Städtle" ('little town') on the Neckar.

From the Civic Theatre to the "Deutschhof"
The cultural significance of Heilbronn should not be overlooked and the repute and significance that the various cultural institutions of the city have acquired. Some of them are known far beyond the region. This is true of the Civic Theatre, opened in 1982, with its interesting repertoire and 13,000 subscribers, and of the "Deutschhof," as well, a new cultural centre with attractive exhibition space within historic walls. But this is also true of the "Harmonie" Festival Hall, a multi-purpose facility for public events, uniting concert hall and congress centre. These three permanent points – Civic Theatre, Deutschhof, and "Harmonie" Festival Hall – are capable of fulfilling the demand a city the size of Heilbronn should make on the cultural sector.

Renowned orchestras, first and foremost the Württemberg Chamber Orchestra of Heilbronn, and well-known choirs, the adult-education centre, and civic museums, the Civic Archives, Municipal Library, Music School, and the Heilbronn Higher Specialist-Training Institute ("Fachhochschule"), with over 3,000 students, are further elements of this broad cultural base. In addition, there are alternative and progressive events, some of which confront the traditional head-on. The "Culture Days" on the Gaffenberg, a recreation area high above the city, are one example. Happily, Heilbronn's purposive community culture policies are on a good footing with the activities of idealists and the commitment of individuals.

"Urbanus" and "Musical Treasure"
And there are unique things. The men's glee club, "Urbanus," is the oldest vintner chorus in Germany. The Heilbronn "Singkranz," founded in 1818, is proud to be the fourth-oldest German glee club. No wonder that the first choral festival was held in Heilbronn 150 years ago, with over 1,200 singers attending.

Of an entirely different calibre is the "Heilbronner Musikschatz" ('Heilbronn Musical Treasure'), a collection of secular and sacred songs and instrumental music of the 16th and 17th centuries. This collection of incalculable value contains over 2,000 titles by more than 200 European composers; an even dozen of them are unica.

And who knows that Heilbronn is considered the most "cinema-friendly city" in West Germany? There are 16 movie houses here – the most screens per capita – with a broad selection to choose from.

Surrounded by Vineyards and Forests
But a visitor to Heilbronn will always learn to appreciate the way the city fits into the landscape. A broad belt of vineyards and forests surrounds this city on the Neckar from north to south. The hiking areas are right before one's front door and still offer something of a charmed village atmosphere. The recreational potential is such a matter of course to the Heilbronners that they usually don't even mention it. These are just things one simply has.

Be it the Weinsberg Valley and the Löwenstein Hills east of Heilbronn, the Zabergäu – once called "Little Italy" – and the Kraichgau to the West, the Neckar Valley lined with castles, or some quiet nook in the Bottwar Valley, everywhere it is a pleasant spot to be. And if a person wants more than just quiet, forests, and landscape, he will find things to see and experience lined up like pearls on a chain.

From Schwäbisch Hall to Marbach
Festivals in Schwäbisch Hall and Jagsthausen, the Cycle Museum in Neckarsulm, and memorial sites of Swabian poets such as Kerner and Hölderlin, Weinsberg with "Weibertreu," and the original recreation park in Tripsdrill, Wimpfen with the historic silhouette of this Staufer town, and Bad Rappenau as a spa, the 40-hectare Breitenau Lake, a centre for surfing, sailing, and camping, and the falconry at Guttenberg Castle, the Automobile + Technology Museum in Sinsheim, and the literary centre in Schiller's birth-

place, Marbach. It would be no problem to continue on with this list...

A special attraction for those who like automobile excursions: the "Burgenstrasse" ('Castle Road') going past nearly 50 castles and fortresses in the 300 km from Mannheim to Nuremberg. The route goes from the Oden Forest via the Neckar Valley to Hohenlohe, past the Kocher, Jagst, and Tauber, ending in Nuremberg in Bavarian Franconia. Cities with famous names and sights are the high points of this route: Heidelberg and Eberbach, Bad Wimpfen and Neuenstein, Waldenburg and Schwäbisch Hall, Langenburg and Rothenburg above the Tauber. The central information bureau for the Castle Road is in Heilbronn's Guildhall.

Heilbronn Today...

Heilbronn today is an industrial and shopping city, a ranking centre of culture and the service industries of importance and national impact.

But Heilbronn today is also a medium-sized city in Franconian Swabia in the midst of gardens, forests, and vineyards. A city in beautiful surroundings which has still preserved its own character despite modern high-rise dwelling buildings and four-lane streets.

Heilbronn today is perhaps still the city that Christian Daniel Schubart praised some 200 years ago with the words, "To a person with gold wanting to live a good, a beautiful life of leisure in Germany, I would suggest Heilbronn!"

Heilbronn – bref portrait

«Qui a de l'or et souhaite vivre en Allemagne dans l'aisance et dans un cadre agréable, je lui conseille Heilbronn!». Cette phrase, un éloge à la ville de Heilbronn, a été écrite par le poète souabe Christian Daniel Schubart il y a environ 200 ans. Pour bien des gens, elle reste valable encore aujourd'hui.

C'est avec le même enthousiasme que s'exprimait Johann Wolfgang von Goethe qui fêta son 48ème anniversaire à Heilbronn, mentionnant le 29 août 1797 les phrases suivantes dans son journal: «Tout ce que le regard perçoit est fertile; à proximité, ce sont les vignobles, et la ville elle-même baigne dans un énorme ruban de verdure constitué de jardins. La vue suscite un sentiment de calme, de plaisir et de satisfaction.»

Ancienne ville impériale – grande ville récente
Bien que ce regard furtif sur le passé puisse confirmer la position du Heilbronn d'aujourd'hui, cette ville a cependant subi des transformations capitales au cours de son histoire. L'ancienne ville impériale aux confins de la Franconie et de la Souabe et au bord du Neckar est devenu une ville moderne. S'étant vue attribuer le 1er janvier 1970 la dénomination de grande ville, Heilbronn compte aujourd'hui quelque 115000 habitants et est considérée comme le centre économique, culturel et administratif d'une vaste région. Le centre principal de la région de la Franconie au nord du Bade-Wurtemberg a une importance suprarégionale.

La vieille ville de Heilbronn avec ses maisons patriciennes, ses ruelles étroites et ses petites places fut réduite en cendres le 4 décembre 1944 lors d'un bombardement. Heilbronn n'était plus qu'une ville morte, un vaste amas de décombres sinistres. Les années de l'après-guerre ne furent marquées ni par la résignation, ni par le déplacement de la ville dont avaient d'abord révé certains urbanistes modernes, mais connurent le «miracle de la reconstruction de Heilbronn», comme on appelle parfois cette époque en évoquant le passé.

32500 appartements – 35 écoles – 40 gymnases
Depuis la guerre, plus de 32500 appartements ont été construits à Heilbronn, tout comme 35 écoles et 40 gymnases, 25 églises et 50 écoles maternelles, ainsi que des hôpitaux et des piscines, des hôtels et des usines modernes, des grands magasins et des ateliers d'artisanat, mais aussi des centres culturels et des complexes sportifs.

Il existe de multiples raisons pour expliquer cet essor étonnant de la ville. Il s'agit tout d'abord de sa situation privilégiée pour la circulation, au carrefour d'importantes autoroutes. Ces autoroutes relient Heilbronn à Stuttgart et à Munich, à Mannheim et à Francfort ainsi qu' à Würzburg et à Nuremberg. Heilbronn est également un des plus importants ports intérieurs allemands. Transbordant chaque année presque 6 millions de tonnes de marchandises, il occupe la cinquième place parmi les ports fluviaux de l'Allemagne Fédérale et est le plus grand port sur le Neckar. L'atout essentiel de l'essor économique de cette ville fut toutefois ses habitants, l'ardeur au travail de cette population souabe-franconienne à laquelle s'ajouta celle de milliers d'expulsés. Toutes ces personnes tirèrent profit de la situation privilégiée de la ville et surent réaliser le «miracle de la reconstruction».

Zone économique autonome
Situé entre les conurbations de Stuttgart et de Heidelberg/Mannheim, Heilbronn est devenu une zone économique autonome au cours des années de l'après-guerre. En 1896 – il y a donc une centaine d'années –, la ville de Heilbronn, avec ses 58 usines et ses 9000 ouvriers, était la plus grande ville industrielle du Wurtemberg. De nos jours, l'aspect de la ville se transforme. Le chiffre d'affaires réalisé dans le secteur commercial a nettement dépassé celui enregistré dans le secteur industriel. Plus de 60% des employés travaillent dans le commerce et dans le secteur tertiaire, domaines dotés des plus grandes chances de croissance.

Toutefois, Heilbronn reste encore et toujours un centre industriel. Une vaste diversification des secteurs – dont les plus importants sont l'industrie métallurgique et l'industrie de l'équipement électrique, suivies de l'industrie des produits alimentaires et de l'industrie de transformation du papier, ainsi qu'une multiplicité de petites et moyennes entreprises en constituent les bases solides. Heilbronn est également le siège d'entreprises d'excellente réputation et de rénommée mondiale fournissant des travaux de premier ordre dans la mise au point de nouvelles technologies et fabriquant des produits connus et prisés sur les marchés internationaux.

73000 employés – 40000 travailleurs migrants

Heilbronn offre un emploi à 73000 personnes dont 20000 employées dans 110 entreprises industrielles. Chaque jour, presque 40000 personnes font la navette entre Heilbronn et leur domicile situé à l'extérieur, soulignant ainsi inconsciemment le rôle de centre économique que joue la ville de Heilbronn. En dépit de la mise en valeur de nouvelles zones commerciales et industrielles au sein des limites de la ville, nombreuses furent les entreprises qui, au cours des dernières années et décennies, se sont implantées dans la banlieue de Heilbronn. Ces dernières ont tiré profit de la situation privilégiée des environs et ont conféré à la région environnante de Heilbronn un essor économique inattendu. Lorsque l'on se concentre sur la stricte démarcation de la commune, on peut regretter cette évolution. Mais ce développement a profité à la zone économique de Heilbronn.

Il y a bien longtemps, un slogan publicitaire diffusé par les commerçants de Heilbronn décrivait cette ville comme «la ville commerçante aux petites distances». A cette époque, la motorisation n'avait pas encore provoqué l'implantation de centres commerciaux dans les zones environnantes, en «pleins champs». Aujourd'hui, ce slogan reste valable. Les magasins du centre-ville, que ce soit la grande surface ou le magasin spécialisé en produits fins, offrent une gamme de produits très divers. C'est là que bat le cœur de la ville et que se trouve non seulement le centre mercantile de la ville, mais aussi celui de la culture et de l'histoire de l'art.

L'hôtel de ville et la Kilianskirche – édifices de grande renommée

Le centre absolu de la ville est la Place du Marché qui est bordée d'édifices renommés: l'hôtel de ville et l'église Kilianskirche symbolisant le pouvoir temporel et le pouvoir spirituel, mais aussi la maison de Käthchen, emblème du Heilbronn légendaire, littéraire et historique.

L'hôtel de ville de Heilbronn, érigé en divers styles allant du gothique à la Renaissance, symbolise de par son apparence imposante fierté et puissance, responsabilité et droit, et rappelle la grandeur de l'ancienne ville impériale. Ce bâtiment est couronné par l'horloge astronomique réalisée en 1580 par Isaak Habrecht, un véritable joyau historique ayant été détruit pendant la guerre et reconstruit conformément à l'original.

En face de l'hôtel de ville se dresse l'église Kilianskirche et sa tour principale datant de l'époque de la Réformation. Cette tour n'est surmontée ni d'une croix, ni d'une statue de saint, mais d'un lansquenet à l'aspect peu aimable portant les armes de la ville que les habitants de Heilbronn appellent avec affection le «Männle». La tour décorée de sculptures grotesques représente un élément original d'histoire contemporaine, un édifice riche en ornements bizarres et hardis. Un chroniqueur moderne lui a attribué le titre de »méchant jusqu'au ciel»! On peut se demander ce que les habitants de Heilbronn ont pu penser jadis, il y a 450 ans. On peut également imaginer ce que son architecte courageux, Hans Schweiner, a pu entendre... C'est de là que provient la «plastique figurée», nature principale des œuvres exposées au musée de Heilbronn.

A quelques pas de cette église abritant dans son chœur le grand autel à aspect filigrané, chef d'œuvre de Hans Seyfer, s'élance l'église de l'Ordre Teutonique, l'autre église principale de la ville. Le baptistère St. Pierre et St. Paul, monument sacré le plus ancien de la ville, comprend un autel romantique datant environ de 1250. C'est sur cet autel que se trouve la «Madone de Heilbronn», une statue ancienne de la Vierge Marie qui, pour des raisons inconnues, n'a pas souffert des destructions de la guerre et qui a été placée à cet endroit à la Toussaint 1978.

Au centre de l'histoire

Bien qu'ayant été mentionnée pour la première fois en 741 dans les archives sous le nom de «villa Helibrunna», cette région fut déjà colonisée quelques siècles auparavant et fit par exemple l'objet d'une culture paysanne néolithique.

Pendant de nombreux siècles, Heilbronn se trouva à plusieurs reprises au centre de l'histoire en tant que ville impériale libre. Il s'y développa une puissante communauté au sein de laquelle le commerce et l'artisanat fleurirent. L'année 1802 marqua la fin de la ville impériale, la transformant en chef-lieu du nouveau royaume du Wurtemberg. Heilbronn conserva toutefois sa force de rayonnement, croissant avec l'industrialisation naissante.

«Käthchen» et «Götz»

La ville a acquis sa célébrité mondiale en premier lieu grâce à «Käthchen de Heilbronn», personnage littéraire créé par le poète Heinrich von Kleist. Cette renommée est toujours présente: Käthchen est représentée en maints exemplaires dans les magasins de souvenirs de la ville. On y trouve également la «Main de Fer» du chevalier Götz von Berlichingen, immortalisé par Goethe dans son drame de jeunesse. Bien qu'ayant dû y passer trois années de sa vie en «détention chevaleresque», Götz von Berlichingen était plein d'amitié pour la ville de Heilbronn.

La ville de Heilbronn est particulièrement attachée à deux personnes exceptionnelles: Robert Mayer, le «plus grand fils» de la ville, physicien et médecin qui découvrit la «loi de la conservation de l'énergie», ainsi que Theodor Heuss, premier président de l'Allemagne Fédérale qui fut lycéen à Heilbronn, écrivit sa thèse de doctorat sur le thème «la viticulture et le statut du vigneron à Heilbronn» et travailla comme rédacteur au journal jadis renommé «Neckar-Zeitung». Theodor Heuss resta jusqu'à sa mort en étroit contact privé et officiel avec sa ville natale.

Typique pour Heilbronn: le «petit quart»

Ce ne sont pas seulement les noms connus, pas seulement l'histoire, les monuments et l'essor économique qui méritent d'être mentionnés. C'est également le vin, le «petit quart», comme l'appellent les habitants de la région, qui est apprécié des gens du pays et des visiteurs. Entourée de 550 hectares de vignes, Heilbronn fait partie des plus grandes communes vinicoles allemandes. La production annuelle moyenne est de plus de cinq millions de litres, les grands crus étant le savoureux Trollinger et le Riesling blanc pétillant.

Mais c'est également le vin qui marque les habitants de cette région de Souabe-Franconie – auxquels les nouveaux arrivés n'ont généralement pas de mal à s'habituer – et qui les incite à organiser de nombreuses festivités. La fête principale, le «village vinicole autour de l'hôtel de ville» se tient chaque année en septembre et attire des centaines de milliers de visiteurs venus non seulement de Heilbronn, mais pratiquement du «monde entier» pour déguster le vin du pays. Ils sont plongés dans l'atmosphère et l'humeur de fête de Heilbronn; une humeur qui n'a rien de celle d'une «grande ville», mais bien plus de celle d'une petite ville au bord du Neckar.

Du Théâtre de la Ville au «Deutschhof»

Il ne faut pas se méprendre quant à l'importance culturelle de Heilbronn, à la renommée et au poids qu'ont acquis ses divers centres culturels. Ceux-ci ont une portée dépassant largement les limites de la ville. Ceci est le cas non seulement du Théâtre de la Ville qui, inauguré en 1982, propose un programme intéressant de manifestations et compte 13000 adhérents, mais encore du «Deutschhof», un nouveau centre culturel disposant de possibilités attrayantes d'expositions au sein de ses murs historiques. A citer également la salle des fêtes «Harmonie», un lieu de manifestations polyvalent abritant aussi bien une salle de concert qu'un centre de congrès. A eux trois, ces centres culturels – Théâtre de la Ville, «Deutschhof» et «Harmonie» – répondent aux exigences posées en matière de culture envers une ville de l'envergure de Heilbronn.

D'autres exemples de la diversité de la vie culturelle de Heilbronn sont constitués par les orchestres renommés – en premier lieu l'Orchestre de Chambre du Wurtemberg – et les chorales réputées, la «Volkshochschule» (université populaire) et les musées municipaux, les archives de la ville, la bibliothèque municipale et l'école de musique, sans oublier l'Ecole Supérieure de Heilbronn qui rassemble plus de 3000 étudiants. Il s'y ajoute des manifestations alternatives et progressives qui mettent en partie en question les fondements culturels traditionnels. Les «journées culturelles» se tenant sur le Gaffenberg, un espace de loisirs surplombant la ville, sont un exemple de telles manifestations. Heureusement, la ville de Heilbronn sait allier un travail culturel communal ciblé aux activités d'idéalistes, à l'engagement de chacun.

«Urbanus» et «Musikschatz«

Il existe aussi des particularités. Le chorale masculine «Urbanus» de Heilbronn est la chorale de vignerons la plus ancienne d'Allemagne. La chorale «Singkranz» fondée à Heilbronn en 1818 est fière d'être la quatrième chorale allemande en ancienneté. Il n'est donc pas étonnant que la première fête des chorales ait eu lieu à Heilbronn il y a 150 ans, rassemblant plus de 1200 chanteurs.

Le «Musikschatz» (trésor de musique) de Heilbronn a entre-temps une importance toute particulière. Ce recueil de chansons temporelles et spirituelles et de musique instrumentale datant des 16ème et 17ème siècles – ouvrage d'une valeur incommensurable – comprend plus de 2000 titres nés de la plume de plus de 200 compositeurs européens, dont une douzaine d'œuvres uniques.

Il faut également savoir que Heilbronn est considérée comme la ville aux programmes de cinéma les plus variés d'Allemagne. En effet, comptant 16 cinémas, elle dispose du plus grand nombre d'écrans par habitant.

Entourée d'une ceinture de vignobles
Les visiteurs de Heilbronn remarquent vite sa situation privilégiée. Une large ceinture de vignobles et de forêts encercle la ville qui s'étend du nord au sud le long du Neckar. Les proches environs invitent à la promenade et offrent de romantiques scènes villageoises. Pour les habitants de Heilbronn, il est si naturel de disposer de possibilités de loisirs si agréables qu'ils n'en font même plus mention.

Que ce soit la vallée de Weinsberg ou les monts de Löwenstein à l'est de Heilbronn ou encore le Zabergäu à l'ouest, que ce soit la vallée du Neckar bordée de châteaux ou quelque petit recoin dans la vallée de Bottwar, tous ces lieux procurent au visiteur un sentiment agréable de bien-être. Et pour celui à qui le calme, les forêts et les paysages ne suffisent pas, toute une série de curiosités et d'aventures sont à découvrir.

De Schwäbisch Hall à Marbach
Les festivals de Schwäbisch Hall et de Jagsthausen, le Musée allemand des Deux-Roues à Neckarsulm et les lieux commémoratifs en l'honneur des poètes souabes tels que Kerner et Hölderlin, Weinsberg avec les ruines du château Weibertreu et le parc zoologique de Tripsdrill, Wimpfen, ville Staufen, avec sa silhouette historique et Bad Rappenau, ville de cure, l'étang de Breitenau s'étendant sur 40 hectares, lieu prisé des amateurs de planche à voile, de bâteaux à voile et de camping, l'observatoire des oiseaux de proie au château de Guttenberg, le Musée de l'Auto et des Techniques de Sinsheim et le centre littéraire de Marbach, ville natale de Schiller. Cette liste n'étant naturellement pas exhaustive...

Une offre particulière est soumise aux amateurs de voyages: la route des châteaux, circuit de plus de 300 kilomètres allant de Mannheim à Nuremberg et passant près de plus 50 forteresses et châteaux. La route va de la région de l'Odenwald à Hohenlohe en passant par la vallée du Neckar, Kocher, Jagst et Tauber, pour finalement atteindre Nuremberg et la région de la Franconie bavaroise. Des villes aux noms agréables et aux curiosités renommées sont des étapes distinctives de cette route: Heidelberg et Eberbach, Bad Wimpfen et Neuenstein, Waldenburg et Schwäbisch Hall, Langenburg et Rothenburg sur la Tauber. Pour obtenir toutes les informations requises sur la route des châteaux, vous pourrez vous adresser à l'hôtel de ville de Heilbronn.

Le Heilbronn d'aujourd'hui...
Le Heilbronn d'aujourd'hui est une ville industrielle et commerçante, un centre culturel et de prestations de services de grande importance et de grande renommée, à rayonnement suprarégional.

Mais le Heilbronn d'aujourd'hui est également une ville moyenne souabe-franconienne entourée de jardins, de forêts et de vignobles. Une ville aux alentours exquis qui a su conserver son caractère individuel en dépit du progrès, des immeubles modernes et des routes à quatre voies.

Le Heilbronn d'aujourd'hui, c'est peut-être encore et toujours cette ville que Christian Daniel Schubart décrivait il y a quelque 200 années avec la phrase suivante: «Qui a de l'or et souhaite vivre en Allemagne dans l'aisance et dans un cadre agréable, je lui conseille Heilbronn!».

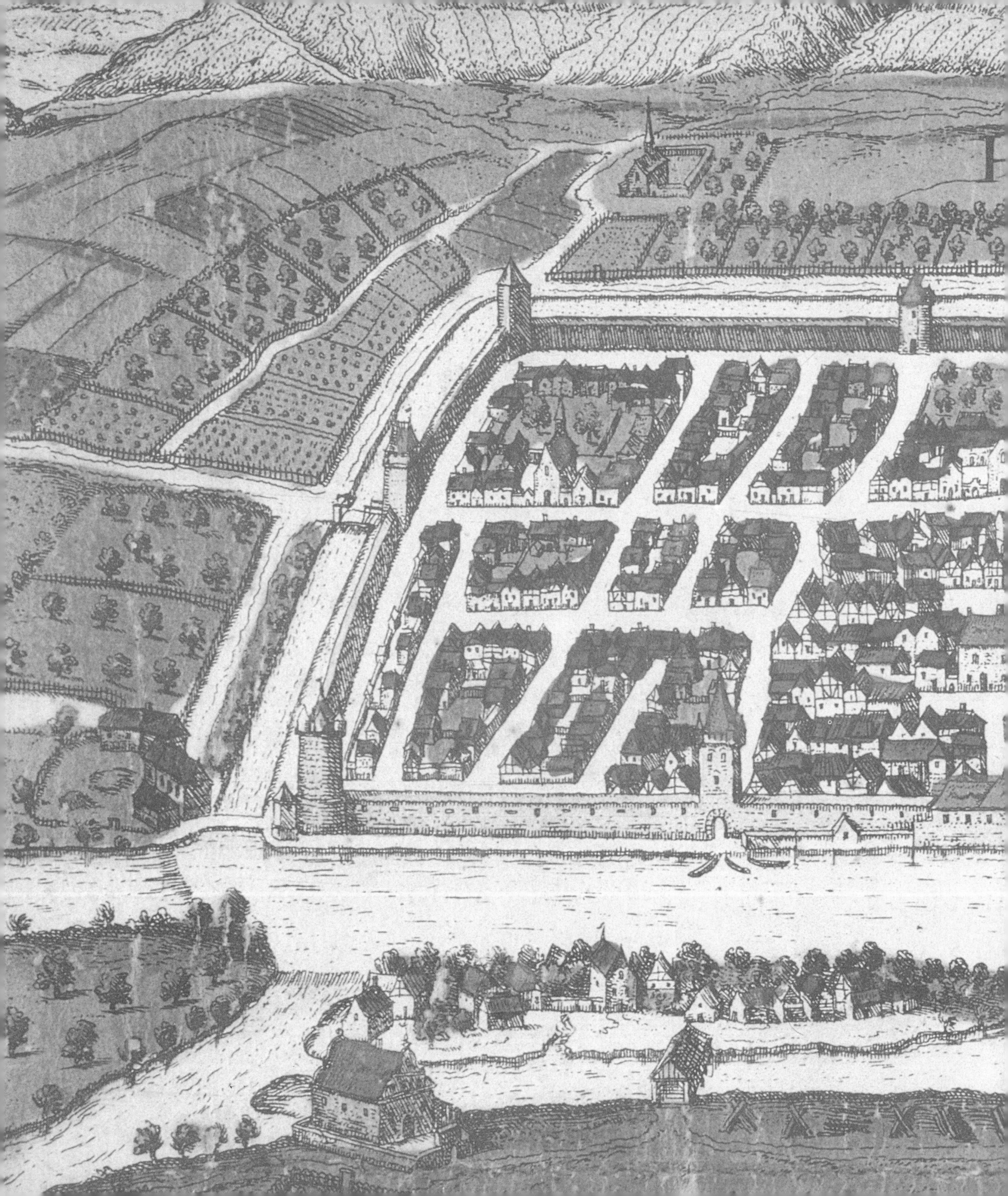